Equipando líderes
de caráter em
casa, na igreja e
na comunidade

David Merkh

Homem nota 10

2ª edição: março de 2016
7ª reimpressão: fevereiro de 2024

REVISÃO
Andrea Filatro
Priscila Porcher

CAPA
Maquinaria Studio

DIAGRAMAÇÃO
Catia Soderi

EDITOR
Aldo Menezes

COORDENADOR DE PRODUÇÃO
Mauro Terrengui

IMPRESSÃO E ACABAMENTO
Imprensa da Fé

EDITORA HAGNOS LTDA.
Rua Geraldo Flausino Gomes, 42, conj. 41
CEP 04575-060 — São Paulo, SP
Tel.: (11) 5990-3308

E-mail: hagnos@hagnos.com.br
Home page: www.hagnos.com.br

Editora associada à:

Dados Internacionais de Catalogação na Publicação (CIP)

Angélica Ilacqua CRB-8/7057

Merkh, David J.
Homem nota 10: equipando líderes de caráter em casa, na igreja e na comunidade. 2ª ed. / David J. Merkh. – São Paulo: Hagnos, 2016.

ISBN 978-85-243-0494-1

1. Homem – vida religiosa 2. Vida cristã 3. Homens cristãos – Vida religiosa I. Título.

15-0419 CDD-248.842

Índices para catálogo sistemático:

1. Homens cristãos – Vida religiosa

Dedicatória

Aos meus filhos
David Júnior
Daniel
Stephen

Ao(s) meus genro(s)
Ben

E aos meus netos
David (Zemmer)
Tiago (Zemmer)
Andrew (Merkh)
Isaac David (de Souza)
e todos que os seguirão...

Que vocês sejam homens de verdade, nota 10,
de caráter comprovado,
cada vez mais parecidos com Jesus
em casa, na igreja e na comunidade.

Almeida Revista e Atualizada. Sociedade Bíblica do Brasil;
Barueri, 1993; 2009.

Abreviaturas

NVI	Nova Versão Internacional
RA	Revista e Atualizada
RC	Revista e Corrigida
BLH	Bíblia na Linguagem de Hoje
BV	Bíblia Viva
BJ	Bíblia de Jerusalém

Sumário

Agradecimentos

Quero agradecer às pessoas que, mais uma vez, colaboraram MUITO para que este volume esteja disponível ao público. À minha esposa, Carol Sue, por me encorajar a continuar escrevendo, apesar de tantas outras demandas na nossa vida a dois, e por sua ajuda na correção do manuscrito; à nossa nora Adriana, que também fez uma correção completa do manuscrito.

Agradeço aos alunos casados do Seminário Bíblico Palavra da Vida e aos homens da classe de escola bíblica da Primeira Igreja Batista de Atibaia que foram "cobaias" no estudo das lições deste material durante muitos anos. Grande parte deles fez sugestões que estão incorporadas neste texto.

À equipe eficiente e séria da Editora Hagnos, que sempre crê no nosso trabalho porque acredita na produção de material bíblico prático para a igreja brasileira. Muito obrigado!

Finalmente, agradeço a Deus, que tornou possível a publicação deste material que é a realização de um sonho. Ele faz parte de uma campanha: resgatar o papel de homens como líderes qualificados, cada um em sua casa, igreja e comunidade.

PREFÁCIO
DO AUTOR

Não é surpresa para a maioria das pessoas que a família, a igreja e a sociedade passam por crises de liderança. Não se sabe mais quem deve liderar, quais as qualidades essenciais de uma boa liderança e como se deve liderar.

Esse problema seria resolvido se nos voltássemos para as Sagradas Escrituras e definíssemos liderança de acordo com as diretrizes divinas. *Deus está em busca de homens que sejam líderes em casa, na igreja e na comunidade* — homens de caráter, homens segundo o coração de Deus.

Para ser um homem segundo o coração de Deus, é preciso que o homem assuma sua responsabilidade como *líder*. Não significa ser machista; muito menos tratar as mulheres com desprezo. Muito pelo contrário. A hombridade[1] bíblica segue o modelo de liderança de *servo*. Deus não chama homens para o exercício da tirania, mas, sim, para que sejam servos amorosos, prontos para defender sua família e servi-la; para ensinar-lhe a palavra de Deus, guiá-la e sacrificar-se por seu bem-estar. Que contraste ao retrato do "machão" que só leva vantagem, pensa em si mesmo e defende seus próprios interesses!

[1] [NR] É comum o uso do termo "hombridade" (esp. *hombredad*: qualidade, dignidade de ser homem) para referir-se ao conjunto das boas qualidades de caráter e valor que devem marcar o homem como um todo.

Infelizmente, enquanto alguns homens procuram *projetar* uma imagem forte de liderança, muitas vezes estão se *protegendo* da insegurança e do medo. Em vez de *liderar* a família, não assumem a responsabilidade que lhes cabe, renegam sua autoridade e são passivos na direção de seu lar.

Certamente não recomendamos que os homens sejam tão proativos a ponto de tomar a frente de Deus (ainda que isso fosse possível). No entanto, entendemos que a passividade equivale à desobediência! *Deus já chamou homens para que sejam líderes de casa e da igreja e, para isso, já lhes deu uma descrição detalhada das tarefas em sua palavra.*

Em 1Timóteo 3 e em Tito 1 encontramos a descrição de caráter do homem de Deus. Este livro tem como objetivo servir de guia de estudo para que os homens se olhem no espelho e vejam as áreas da vida em que precisam ser mais parecidos com Jesus e, com os olhos fitos nele, progredir em semelhança àquele que deixou o céu para viver entre nós e em nós (Gálatas 2:20).

COMO USAR
ESTE LIVRO

Com pequenas adaptações, este livro pode ser usado em diversos contextos:

1. Estudo bíblico em grupos de homens.
2. Estudo em encontros de homens (café da manhã, encontros sociais etc.).
3. Grupos de discipulado.
4. Preparação de líderes na igreja.
5. Estudo individual e devocional.

Se o livro for usado em grupos nos quais os integrantes não se conheçam tão bem, sugerimos uma dinâmica no início de cada encontro, visando à interação entre os membros do grupo.[2] Para que haja maior participação no estudo da lição, os homens presentes podem ler os parágrafos alternadamente; por isso, muitas lições incluem perguntas de reflexão no meio do estudo. É importante que haja o máximo de interação no grupo e que todos tenham a oportunidade de participar para que o conteúdo apresentado seja discutido, analisado, testemunhado.

No final de todas as lições há mais perguntas para discussão em grupos pequenos. Se o grupo de estudo tiver mais de cinco ou seis pessoas, o ideal é dividi-lo em grupos

[2] Para obter mais ideias e sugestões sobre esse tipo de dinâmica em grupo, veja o nosso livro *101 ideias criativas para grupos pequenos*, publicado pela Hagnos.

menores por um período de tempo preestabelecido, para que os homens dialoguem sobre o conteúdo. Em nossa experiência, o tempo reservado para compartilhar é o momento mais importante do encontro.

INTRODUÇÃO
Homens de verdade

Jeremy Glick foi um homem de verdade. Tudo indica que ele e mais dois passageiros do voo 93, de Newark para Los Angeles no dia 11 de setembro de 2001, impediram que os sequestradores daquele avião causassem um desastre como acontecera em Nova York e Washington poucas horas antes. Numa ligação por telefone celular durante o sequestro, Glick deixou instruções para sua esposa, Lyzbeth, sobre como cuidar da própria vida e da filha do casal, que tinha apenas três meses. Explicou que ele e mais dois homens poriam fim àquele projeto sinistro, mesmo sabendo que iriam morrer por isso. O resto da história só Deus sabe. Jeremy Glick morreu como herói — homem de verdade.

Se, por um lado, Glick morreu como herói, Deus, por outro, dá uma tarefa ainda maior a cada homem: não a de morrer por seus amados, mas a de viver por eles.

O mundo define *masculinidade* em termos de força física, conquistas sexuais, carreiras brilhantes ou aventuras arriscadas. Ser homem significa "peitar" o mundo, levar vantagem, sair por cima, ganhar a qualquer custo. No entanto, mais importante do que a maneira pela qual o mundo descreve a masculinidade é entender e conhecer como Deus o faz.

Deus define a verdadeira masculinidade na pessoa de Jesus! Homens de verdade parecem com Jesus. O homem de verdade dá a vida dia após dia pelos outros.

Os pais sentem-se verdadeiramente orgulhosos quando um filho se sai bem em uma prova, em um evento esportivo ou audição musical. Imagine como essa alegria aumenta no caso de o pai perceber que outras pessoas querem imitar seu filho. Da mesma maneira, Deus também se alegra e é glorificado em nós quando procuramos ser parecidos com seu Filho, Jesus!

O alvo da vida, do ministério e da igreja é formar pessoas à imagem de Cristo. Em Efésios somos lembrados de que essa é a razão pela qual os dons espirituais (homens e mulheres "dotados") foram concedidos à igreja: *até que todos cheguemos à unidade da fé e do pleno conhecimento do Filho de Deus, à perfeita* **varonilidade**, *à medida da estatura da plenitude de Cristo* (Efésios 4:13, grifo nosso).

À luz desse alvo da vida cristã — *perfeita varonilidade* — queremos investigar o que as Escrituras ensinam sobre a verdadeira masculinidade a fim de podermos cumprir toda a vontade de Deus para os homens. Infelizmente, há muita confusão sobre os papéis do homem e da mulher nos nossos dias; por isso, torna-se cada vez mais importante voltar ao ponto de origem.

O ponto de partida para sermos homens segundo o coração de Deus é buscarmos na palavra a vontade do Pai. O plano de Deus é que ele seja glorificado pela imagem de Cristo Jesus reproduzida em nós. Por nós mesmos, será impossível. Mas Deus garante que todo filho que realmente lhe pertence, um dia, será conformado à imagem de Cristo (Romanos 8:29; Filipenses 1:6).

Deus nos oferece as qualidades de caráter que caracterizam esse homem. Embora existam muitas listas de virtudes nas Escrituras, duas destacam-se por seu foco na vida do homem: 1Timóteo 3 e Tito 1. O enfoque dos nossos estudos estará no "homem de verdade" e, para isso, faremos uso das qualidades e características mencionadas em ambos os textos. Em resumo, sua importância está no fato de que esses textos representam atributos da pessoa de Cristo que Deus quer duplicar em seus filhos.

Homens isolados

O grito de Deus no jardim do Éden ecoa até os tempos de hoje: "Adão, onde estás?"

Infelizmente, existe um fenômeno comum entre homens: o isolamento. Mesmo na igreja os homens são, muitas vezes, como ilhas – afastados, solitários, anônimos. Muitos homens se sentem totalmente a sós, sem um ombro amigo, sem alguém para servir como o *ferro que com ferro se afia* (cf. Provérbios 27:17).

Normalmente Deus esculpe a imagem do Filho fazendo uso de talhadeiras. É justamente no contexto dos relacionamentos que o caráter de um homem é forjado. Como parte da solução, é preciso resgatar os valores bíblicos da mutualidade, da amizade, do discipulado e da prestação de contas entre homens. Tudo isso, com o foco em Cristo e orientados pela palavra de Deus e pelo Espírito de Deus. Homens de verdade precisam investir na vida de outros homens.

Por que trabalhar com homens?

Relacionamentos caracterizados pelo trabalho do ferro que afia o ferro são raros em meio ao público masculino. O ministério com homens em muitas igrejas é fraco, isto é, quando existe. Trabalhamos com crianças. Recrutamos voluntários para investir nos adolescentes e nos jovens. Quase todas as igrejas têm um departamento feminino. Mas e os homens? São raros os casos em que encontramos ministérios voltados para homens, que equipam homens como líderes espirituais em casa, na igreja e na comunidade.

No Novo Testamento, no entanto, deparamo-nos com uma estratégia missionária e pastoral que se traduz no ministério com homens. Na cultura oriental do primeiro século, a conversão de um homem tinha como consequência natural a conversão de sua família logo em seguida. Talvez seja por isso que o Novo Testamento, ao relatar determinados eventos na vida de Jesus, fala do número de *homens* presentes. Um exemplo é a alimentação dos cinco mil e dos quatro mil nos Evangelhos. Quando descreve a conversão de Cornélio, Atos 10 mostra o efeito dominó que levou toda a família a Cristo.

De nenhuma forma menosprezamos os valiosos ministérios com mulheres, jovens e crianças que existem em muitas igrejas. Pelo contrário, eles são vitais e significativos. Mas devemos reavaliar as estratégias ministeriais usadas até aqui, com o objetivo de incluir e enfatizar o ministério com homens.

O problema está no fato de que, como homens, muitas vezes evitamos a prestação de contas, a intimidade e o compartilhar mais profundo que revele como está a nossa vida e o nosso coração. O fator precedente de afastamento, passividade e omissão estabelecido no jardim do Éden (Gênesis 3:8-12) tem consequências até hoje. Nas Escrituras vemos como Davi tentou esconder seu pecado de adultério com Bate- -Seba durante um ano (Salmos 32:3). Ou, então, vemos Elias isolado, no deserto, em seu momento de maior desânimo (1Reis 19). Jonas afastou-se da cidade de Nínive em um momento de egoísmo e decepção com Deus (Jonas 4).

O precedente: conhecimento mútuo

A vida e o ministério de Jesus foram caracterizados pelo investimento intensivo de "vida em vidas", especialmente com os doze discípulos: *Então, designou doze* **para estarem com ele** *e para os enviar a pregar* (Marcos 3:14, grifo nosso).

Note a intimidade, a proximidade, a convivência e o conhecimento mútuo sugeridos neste texto: *O que era desde o princípio, o que* ***temos ouvido****, o* ***que temos visto*** *com os nossos próprios olhos, o* ***que contemplamos*** *e as nossas* ***mãos apalparam****, com respeito ao Verbo da vida...* (1João 1:1, grifo nosso).

O apóstolo Paulo enfatizou esse mesmo tipo de ministério ao aconselhar o jovem ministro e filho na fé, Timóteo: *E o que de minha parte ouviste através de muitas testemunhas, isso mesmo transmite a homens fiéis e também idôneos para instruir a outros* (2Timóteo 2:2).

A vida cristã exige mutualidade. É impossível fugir dos mandamentos bíblicos da reciprocidade: "uns aos outros". Somos convidados por Deus a:

- Exortar e edificar uns aos outros (1Tessalonicenses 5:11).
- Aconselhar uns aos outros (Romanos 15:14).
- Considerar uns aos outros para incentivar ao amor e às boas obras (Hebreus 10:24,25).
- Encorajar uns aos outros todos os dias, de modo que ninguém seja endurecido pelo engano do pecado (Hebreus 3:12-14).
- Confessar os pecados uns aos outros e orar uns pelos outros (Tiago 5:16).
- Restaurar uns aos outros quando alguém tropeçar e cair/pecar (Gálatas 6:1).
- Levar os fardos uns dos outros (Gálatas 6:2).
- Amar uns aos outros como Cristo nos amou e como Deus amou a Cristo (João 13:34; 15:12; 17:26).

Uma lição da história: prestação de contas

A história nos mostra a importância de relacionamentos de mutualidade e prestação de contas. O grande evangelista John Wesley, por exemplo, criou um plano para o metodismo que incluía três círculos concêntricos de prestação de contas e mutualidade:

1. A sociedade (comunidade, para juntos cultuar a Deus).
2. A classe (grupos pequenos de cerca de doze pessoas reunidas para o ensino).
3. A célula[3] (grupo pequeno de cinco ou seis pessoas do mesmo sexo para mutualidade e prestação de contas).

O compromisso dos membros das células de Wesley era bastante serio: encontrar-se pelo menos uma vez por

[3] O nome dado para esse grupo foi "bando", mas, pelo fato de que a palavra tem um sentido pejorativo em português, usamos o termo "célula".

semana; chegar pontualmente à reunião; falar livre e abertamente sobre o verdadeiro estado da alma, sobre as falhas cometidas em pensamento, palavra ou ação, bem como as tentações enfrentadas desde o encontro anterior; e, por último, terminar a reunião com oração apropriada ao estado de cada pessoa presente.

John Wesley fazia quatro perguntas para os membros de suas células:

1. Quais os pecados que você cometeu desde o nosso último encontro?
2. Quais as tentações que você enfrentou?
3. Como você conseguiu livrar-se delas?
4. O que você pensou, falou ou fez, sobre o qual tenha dúvida se é pecado ou não?

Esse modelo de prestação de contas[4] tem sido muito útil para outros homens ao longo da história. Veja alguns modelos de perguntas que alguns homens têm usado na busca de um caráter afiado por outros homens:

Modelo 1:

1. Limitei o tempo que gasto assistindo esportes e TV?
2. Fui fiel em liderar a família no nosso culto doméstico?
3. Procurei o reconhecimento de homens e seu aplauso, de forma direta ou sutil?
4. Aquietei o meu coração diariamente diante do Senhor em dependência humilde a ele?

[4] Neste livro usamos a frase "prestação de contas" para descrever um relacionamento de MUTUALIDADE em que duas ou mais pessoas VOLUNTARIAMENTE compartilham desafios pessoais que enfrentam, visando edificação mútua e o estímulo ao amor e às boas obras (Hebreus 10.24). Infelizmente, alguns movimentos no Brasil com características de seitas usam o termo para justificar um relacionamento de controle doentio da vida do "discípulo", invadindo seu mundo particular e íntimo. Não é esse o nosso propósito no ministério com homens.

5. Tive acessos de ira em casa com os meus filhos ou enquanto dirigia o carro?
6. Violei a *aliança com meus olhos* (Jó 31:1), fixando-os em propagandas, pessoas ou *sites* inapropriados e/ ou pornográficos?

MODELO 2:

1. Paguei todas as minhas contas sem dever nada a ninguém?
2. Separei tempo para conversar/passear com a minha esposa?
3. Contei a verdade em todas as situações, sem exagero ou hipocrisia, tentando aparentar algo que não sou?
4. Fui fiel e honesto em todos os meus negócios, usando bem o meu tempo e fazendo o melhor possível dentro das minhas habilidades e tempo?
5. Tratei a minha esposa com raiva ou mágoas?
6. Eu me expus a algum material sexualmente explícito ou inapropriado?

DESAFIO

Pense na possibilidade de desenvolver um relacionamento de prestação de contas com um ou mais homens. Talvez você queira preparar a sua própria lista de perguntas de prestação de contas para ser compartilhada. Sugerimos de 5 a 8 perguntas relacionadas à sua vida pessoal e espiritual; dessas perguntas, pelo menos DUAS devem ser sobre áreas de "alto risco", ou seja, áreas de tentação ou pecado que você enfrenta.

Nesta série de estudos das qualidades de caráter do homem de Deus, vamos analisar item por item as marcas de um homem de verdade segundo a perspectiva divina. Depois de entender o significado bíblico de cada qualidade, dentro de seu contexto, aplicaremos cada princípio à vida do homem de hoje. Sempre terminaremos com perguntas para discussão ou reflexão, para que em grupos pequenos os homens possam interagir e ser desafiados pelas experiências de vida de seus colegas.[5]

Vale repetir, se ainda não ficou claro: os nossos propósitos são:

1. Discutir e aplicar o que descobrimos do ensino bíblico sobre as qualidades de um homem de Deus.
2. Prestar contas uns aos outros.
3. Orar uns pelos outros.

Que Deus nos guie nesta aventura em direção ao alvo de ser um homem de verdade!

PERGUNTAS PARA GRUPOS PEQUENOS

1. Compartilhe suas reações (positivas e negativas) diante do desafio de "prestação de contas" mútua. Você resiste a essa ideia? Gosta da ideia? Quais as vantagens e desvantagens dessa prática?
2. Compartilhe as dificuldades que você tem em áreas da vida espiritual como: leitura diária da Palavra, liderança espiritual do lar, oração conjugal, ética nos negócios etc.
3. Liste alguns pedidos de oração pessoais para que sejam lembrados no próximo encontro.

[5] No Apêndice C, "Ministério com homens", você encontrará uma série de diretrizes e ideias criativas para esse ministério.

1

PROCURA-SE:
Homens de Deus *irrepreensíveis*

Jesse James era um famoso bandido nos anos que se seguiram à Guerra Civil nos Estados Unidos. Junto com o irmão Frank, montou quadrilhas que aterrorizavam donos de bancos, linhas de trem e correios. Durante anos, os dois evitaram as autoridades, especialmente os agentes especiais da firma de segurança Pinkerton. Pôsteres do tipo "Procura-se: Jesse e Frank James" estavam espalhados pelo país. Jesse James foi um dos homens mais procurados na história dos Estados Unidos. Até que, um dia, ele levou um tiro na cabeça enquanto limpava um quadro na parede de sua cozinha. Um novo membro de sua última quadrilha, Robert Ford, traiu sua confiança, na esperança de receber a recompensa oferecida pelo governador do Estado.

Jesse James foi procurado justamente em razão de seu caráter perverso, mas Deus está à procura de homens com caráter semelhante ao de seu Filho. Podemos imaginar um "pôster divino" dizendo: "Procura-se: Homens de Deus irrepreensíveis".

O que lhe vem à mente quando você ouve alguém ser apresentado como "homem de Deus"? Infelizmente, muitas vezes a designação justifica-se pelo fato de uma pessoa ter uma oratória impressionante, uma posição de influência denominacional, livros escritos ou quem sabe um programa semanal de rádio ou televisão.

Ser uma figura pública não qualifica uma pessoa como "homem de Deus". O estudo cuidadoso sobre as qualidades de caráter de um homem de Deus em 1Timóteo 3 e Tito 1 revela que ter habilidade retórica ou personalidade carismática não é um pré-requisito.[6] Infelizmente, não raro a aparência externa ou pública do líder espiritual não equivale à realidade.

Por exemplo, uma pesquisa feita com mais de 1.050 pastores mostrou que:

- 808 (77%) não achavam que tinham um bom casamento.
- 399 (38%) eram divorciados ou em processo de divórcio.
- 315 (30%) já tiveram um caso extraconjugal.
- 35% dos pastores lidavam com o pecado sexual.
- 1 em 7 chamadas telefônicas de pastores para um ministério de apoio pastoral tratava de algum vício sexual.[7]

O povo de Deus espera que seus líderes sejam homens de Deus, exemplos para o rebanho (1Pedro 5:3). Mas nem sempre é o que encontram. Obviamente, o mesmo princípio aplica-se àqueles que ainda não foram reconhecidos e designados como líderes espirituais. Para ser um "homem de Deus" é necessário desenvolver qualidades de caráter *interiores* e não somente ações *exteriores*. Mas esta é uma responsabilidade de todos os homens, não somente dos líderes.

[6] A característica mais próxima mencionada é "apto para ensinar", que se exigia dos presbíteros e do pastor/mestre responsável por alimentar a igreja. No entanto, não significa necessariamente que o homem deve ser um orador profissional, e sim que ele deve ser capaz de transmitir fielmente as verdades registradas nas Sagradas Escrituras, seja individualmente ou em grupos maiores.

[7] Dr. Richard J. Krejcir, *Statistics on Pastors*. Disponível em: http://www.intothyword.org/apps/articles/?articleid=36562

O HOMEM DE DEUS NO ANTIGO TESTAMENTO

No Antigo Testamento, o termo "homem de Deus" foi usado para identificar aqueles que ocupavam uma posição de destaque como mediadores da palavra e da vontade de Deus, como Moisés (Deuteronômio 33:1; Josué 14:6; 1Crônicas 23:14; Esdras 3:2), Samuel (1Samuel 9:6-10), Elias (1Reis 17:18,24), Eliseu (2Reis 1:9-13; 5:8-15), Davi (Neemias 12:24,36; Jeremias 35:4) e outros profetas (1Samuel 2:27; 1Reis 13:1; 2Crônicas 25:7,9).[8]

O HOMEM DE DEUS NO NOVO TESTAMENTO

No Novo Testamento, a frase "homem de Deus"[9] ocorre somente duas vezes, justamente nas epístolas pastorais:

*Tu, porém, ó **homem de Deus**, foge destas coisas* [o amor ao dinheiro]*; antes, segue a justiça, a piedade, a fé, o amor, a constância, a mansidão* (1Timóteo 6:11, grifo nosso).

[Toda a Escritura é inspirada...] *a fim de que o **homem de Deus** seja perfeito*[10] *e perfeitamente habilitado*[11] *para toda boa obra* (2Timóteo 3:17, grifo nosso).

É difícil descrever uma qualidade de caráter que seja abstrata. Pelos textos acima, porém, podemos dizer que o homem "de Deus" é uma pessoa que traça as características (a imagem) de Deus no dia a dia. É alguém que foge da avareza, é justo, piedoso, fiel, amoroso, constante (a palavra "constância" em 1Timóteo 6:11 significa paciente ou perseverante), manso e pronto para servir aqueles a seu redor — uma descrição exata do caráter de Jesus Cristo!

Percebemos que ser homem de Deus tem muito mais a ver com o caráter particular do homem do que, com sua *performance* pública. Também é notório observar que, na lista de qualidades de caráter mencionada, o comportamento do homem *em casa* recebe destaque principal, como veremos

---

[8] No hebraico, *ʾîš (hā)ʾᵉlōhîm*. MYERS, A. C. et al. *The Eerdmans Bible Dictionary*. Grand Rapids, MI: Eerdmans, 1987, p. 684

[9] ὁ τοῦ θεοῦ ἄνθρωπος (2Timóteo 3.17); ἄνθρωπε θεοῦ (1Timóteo 6.11).

[10] ἄρτιος, que significa "completo", "capaz de cumprir exigências".

[11] ἐξηρτισμένος , ou seja, "equipado", "suprido com o necessário".

mais adiante. Como diz o ditado, "Nenhum sucesso na vida compensa o fracasso no lar". Sou quem realmente sou *em casa*, o lugar onde as máscaras caem e o *show* termina e onde revelo meu verdadeiro "eu". Na intimidade do lar descobrimos se a pessoa é um homem de Deus de fato.

Quando o apóstolo Paulo instruiu Timóteo (na antiga cidade de Éfeso) e Tito (em Creta) sobre o caráter dos homens que serviriam para liderar suas respectivas igrejas, forneceu a eles e a nós uma lista representativa do que significa ser um "homem de Deus".

Em ambas as listas das qualidades de caráter do líder espiritual (1Timóteo 3:2 e Tito 1:6), o primeiro item que encontramos é: *irrepreensível*. O homem de Deus deve ser uma pessoa que se pareça com Jesus Cristo, que reflita a imagem do Mestre diante dos homens, alguém que seja conhecido pelo bom testemunho diante dos homens e que represente bem a igreja de Jesus. Podemos resumir dizendo que se trata de um "macho sem mancha", assim como os cordeiros sacrificados no Antigo Testamento, pois sua vida será um sacrifício de louvor e serviço a Deus.[12]

Seria difícil superestimar a importância e o poder que a dignidade de caráter tem na vida desse homem. Sua vida serve de espelho da glória de Deus e da pessoa de Jesus (cf. Gênesis 1:26,27; Efésios 5:32).

As qualificações dos líderes espirituais mencionadas em seguida expõem qualidades de caráter não somente de pastores, presbíteros e diáconos.[13] Com a possível exceção de "apto para ensinar", *todas as qualidades de caráter descrevem o que Deus espera de todos os homens*. As listas

---

[12] Note que, no NT, os presbíteros/bispos/pastores são *homens*. Todos os adjetivos no texto são masculinos, e a primeira qualificação estabelece que se trata de um "marido de uma só mulher". Cf. Kent Jr., Homer A. *The Pastoral Epistles*. Chicago: Moody Press, 1982, p. 121.

[13] Há muitos paralelos entre as listas, que se dividem em qualificações de presbíteros/bispos/pastores (termos intercambiáveis, veja Atos 20.17, 28) e diáconos. Por isso, nesta série de estudos, vamos considerar as listas como um conjunto de qualidades que Deus quer ver reproduzidas em todos os homens.

servem para traçar o perfil do tipo de homem que, mesmo imperfeito, tem progredido muito em direção à semelhança com Cristo.

O texto de 1Timóteo 3:1 começa: *se alguém aspira ao episcopado* [supervisão da igreja, casa de Deus], *excelente obra almeja*. Em outras palavras, uma excelente obra exige excelentes "obreiros"! Nem todos os homens aspiram carregar o fardo de cuidar de uma igreja local como líderes espirituais. Mas todos devem almejar o tipo de caráter que define alguém como apto para esse ministério.

Como faremos em todas as demais lições, começaremos analisando exatamente o que significa o termo "irrepreensível" para, em seguida, verificar como ele se aplica à nossa vida pessoal.

Qualidade de caráter: "irrepreensível"

Textos: 1Timóteo 3.2,10; Tito 1.6

CONTEXTO CULTURAL

Na igreja primitiva, como nos dias de hoje, havia a necessidade urgente de que os cristãos, e especialmente os líderes, tivessem uma reputação inculpável, que atrairia um mundo hostil para o evangelho de Jesus Cristo. No contexto de 1Timóteo, observamos que os falsos mestres estavam manchando o nome de Cristo, do evangelho e da igreja. Portanto, eram necessários líderes aptos e dignos que atraíssem as pessoas à fé cristã.[14]

[14] FEE, Gordon D. *1 and 2 Timothy, Titus*. Peabody, Massachusetts: Hendrickson Publishers, 1988, p. 78,79 (New International Biblical Commentary).

Observações iniciais

1. As listas de qualificações dizem respeito a todos os homens, não somente aos líderes (1Timóteo 2:8).
2. Somente a graça de Deus é capaz de produzir tais qualidades, uma vez que representam a vida de Cristo em nós (João 15:5). Não desanimemos! Estamos em processo e Deus ainda não completou todo o trabalho que tem para fazer em cada um (Filipenses 1:6).
3. A "irrepreensibilidade" de um homem não é autodefinida, mas, sim, identificada pelo corpo de Cristo local, por pessoas que possam atestar sua integridade: *Seja outro o que te louve, e não a tua boca* (Provérbios 27:2).

Conforme a maioria dos comentaristas, "irrepreensível" é uma qualidade sintética, ou seja, um resumo das qualidades mencionadas posteriormente. Portanto, o termo serve de cabeçalho ou título, englobando todas as demais qualidades de caráter. Estamos diante de uma característica que aponta para homens de boa reputação escolhidos para servir a igreja primitiva no livro de Atos (Atos 6:3). São homens cujo caráter é capaz de atrair pessoas à igreja e a Jesus.

Veja o diagrama:

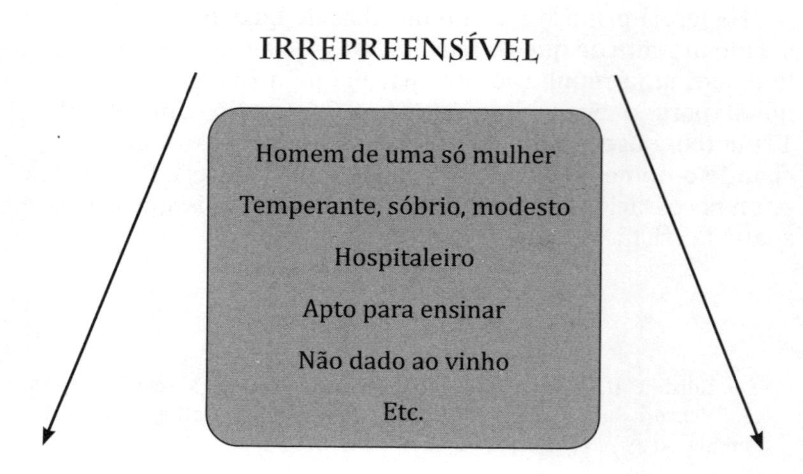

Termo e significado

Irrepreensível[15] (1Timóteo 3:2) significa "acima de censura ou recriminação, inculpável"[16]; alguém que não pode ser (justamente) acusado ou "pego" em algum tipo de iniquidade ou injustiça. "A ênfase aqui está no tipo de reputação que seria um crédito à igreja".[17]

O termo usado para *irrepreensível* nos textos paralelos de 1Timóteo 3:10 e Tito 1:6,7 é um sinônimo e traz a mesma ideia de estar "acima de acusação, inculpável".[18]

É importante ressaltar que "irrepreensível" não significa perfeito. O foco está no tipo de caráter de um homem íntegro que, se erra, admite o erro; se peca, confessa o pecado; se deve algo, acerta as contas; e, se ofende, restaura o relacionamento (cf. Provérbios 28:13).[19]

A pessoa irrepreensível não deixa nenhum "gancho" em sua vida a que um adversário poderia se agarrar, para dela tirar proveito e arrastá-la a um tribunal de justiça. Em outras palavras, não existem "fios soltos" em seu caráter que poderiam causar um estrago em sua reputação. Tudo que precisa ser acertado é devidamente acertado. Como bem expressou Hiebert: "Deve ser um homem a respeito de quem

[15] ἀνεπίλημπτον

[16] Mounce, William (*Word Biblical Commentary 46: Pastoral Epistles.* Nashville: Thomas Nelson, 2000, p. 170) sugere que o adjetivo é uma forma composta do privativo "a" ("não"); portanto, ἐπίλημπτο, que quer dizer "culpável, pego", passa a significar "não culpável".

[17] Mounce, William. *Word Biblical Commentary 46*, p. 170.

[18] ἀνέγκλητō Para outros usos desse termo, veja 1Coríntios 1.8 (sobre a atuação de Cristo na santificação final do cristão): *o qual também vos confirmará até ao fim, para serdes* ***irrepreensíveis*** *no Dia de nosso Senhor Jesus Cristo.* E Colossenses 1.22 (sobre a santificação posicional e final do cristão): *vos reconciliou no corpo da sua carne, mediante a sua morte, para apresentar-vos perante ele santos,* ***inculpáveis*** *e* ***irrepreensíveis*** (grifos nossos).

[19] Outros usos do termo: 1Timóteo 5.7 (sobre viúvas dignas de sustento): *Prescreve, pois, estas coisas, para que sejam* ***irrepreensíveis***; 1Timóteo 6.14 (palavras finais para Timóteo): *que guardes o mandato imaculado,* ***irrepreensível****, até à manifestação de nosso Senhor Jesus Cristo.*

não circulam acusações sobre seu passado ou presente".[20] Ele pratica o que Jesus falou no Sermão do Monte: *Se* [...] *teu irmão tem alguma coisa contra ti, deixa perante o altar a tua oferta, vai primeiro reconciliar-te com teu irmão; e, então, voltando, faze a tua oferta* (Mateus 5:23,24). Assim, não é "culpável" diante da comunidade.

Aplicações

1. Você tem "contas pendentes" na vida que o tornam sujeito a acusações? Existem pessoas que podem acusá-lo de algo ainda não resolvido (Mateus 5:23-26)? Pense em algumas destas opções:
   - palavras impensadas
   - pecados sexuais passados
   - falta de disciplina moral
   - negócios ilícitos
   - falta de moderação
   - avareza
   - filhos fora de controle
   - reputação suspeita
   - ética questionável
   - linguagem obscena
   - ira ou mágoas não resolvidas

Importante: Se você tem dúvida sobre até que ponto ainda é necessário "acertar" um pecado do passado, procure um conselheiro sábio e fiel a Deus. Existem situações em que o caminho sábio é clamar pelo perdão de Deus e não entrar em contato com as pessoas (por exemplo, uma ex-namorada ou noiva). Também precisamos lembrar de que a nossa responsabilidade é fazer tudo quanto depende de nós (cf. Romanos 12:17,18) para manter a paz com os nossos irmãos. Às vezes, uma pessoa simplesmente não quer se reconciliar conosco;

[20] Hiebert, D. Edmond. *Titus and Philemon*. Chicago: Moody Press, 1957, p. 31 (Everyman's Bible Commentary).

portanto, teremos que deixar o assunto nas mãos de Deus sem sentir culpa.

2. É justamente no contexto do lar que o verdadeiro caráter de um homem se revela. Se alguém entrevistasse a sua esposa ou os seus filhos, eles diriam que você é um homem "irrepreensível"? Caso você seja solteiro, o que diriam os seus colegas e amigos a seu respeito?

Sabendo que ninguém é perfeito, é óbvio que você já falhou nos seus deveres como marido, pai, irmão, filho, mas já pediu perdão à esposa, aos filhos, irmãos ou pais por ofensas cometidas? E aos vizinhos? A colegas de escola? A companheiros de trabalho? A outros parentes? À igreja?

Conclusão

Jesse James foi procurado pela justiça norte-americana até o dia de sua trágica morte. Mas Deus procura homens, "homens de Deus", para dar-lhes vida: *Porque, quanto ao Senhor, seus olhos passam por toda a terra, para mostrar-se forte para com aqueles cujo coração é totalmente dele* (2Crônicas 16:9).

Como homens, somos chamados a ter uma vida de integridade. Devemos ser sinceros, sem hipocrisia e transparentes. Essas qualidades de caráter, aspectos da "irrepreensibilidade", requerem uma identidade edificada em Cristo Jesus. Se não fosse pelo sacrifício de Cristo na cruz, que anulou para sempre a lista negra das nossas ofensas (Colossenses 2:14), ninguém teria condições de se tornar "irrepreensível". Mas, em Cristo, *não há mais condenação para nós* (Romanos 8:1)! A obra libertadora de Cristo em sua morte e ressurreição garante a todos uma nova vida. Já não precisamos de máscaras e podemos viver de forma corajosa a vida que Cristo tem para nós (Gálatas 2:19,20). Em Cristo, podemos admitir as nossas falhas e prestar contas de atitudes, pensamentos e motivações que estejam em desacordo com a vontade de Deus. Quando estamos seguros em Cristo, a nossa vida pode ser um "livro aberto" com todas as contas em dia (Tiago 5:16; Efésios 5:12; Provérbios 28:13).

PERGUNTAS PARA GRUPOS PEQUENOS

1. Na lista de qualidades de 1Timóteo 3.1-7, quais seriam duas ou três áreas mais fracas nas quais você mais precisa da graça de Deus para chegar a ser um homem "irrepreensível"?
2. O que você tem feito (ou deseja fazer) para melhorar essas áreas?
3. Você consegue se lembrar de algumas áreas na vida em que ainda tem "contas em aberto"?

- Um pecado não confessado?
- Um relacionamento tenso que ainda poderia acertar com uma atitude humilde ("quanto depender de você", cf. Romanos 12.18)?
- Uma dívida financeira não saldada (Romanos 13.8)?
- Uma situação em casa que precisa ser resolvida?

Orem uns pelos outros, por coragem, sabedoria e graça para "acertar as contas" e ter um caráter irrepreensível que reflita a imagem de Cristo Jesus para a glória do Pai (Tiago 5.16).

2

HOMEM
DE UMA SÓ MULHER (I)

Quando eu era jovem, três dos meus pastores foram pegos em situações de adultério ou "indiscrição" sexual. Os três abandonaram o ministério; um, no entanto, que não chegara a consumar o relacionamento físico, foi posteriormente restaurado ao ministério, depois de uma dura confissão à esposa, muito aconselhamento e acompanhamento.

Nunca posso me esquecer dos efeitos que cada situação provocou nas respectivas igrejas: Grande tristeza, decepção, divisão, pessoas abandonando a igreja, outras seguindo o exemplo de seus líderes; não demorou para haver uma tragédia protagonizada pelo pecado. Foram lições das quais, como homem, nunca quero me esquecer. Como Provérbios diz: *O que adultera com uma mulher está fora de si; só mesmo quem quer arruinar-se é que pratica tal coisa* (Provérbios 6:32).

Hoje, a imoralidade sexual atinge proporções de uma epidemia no Brasil e no mundo. Algumas pesquisas sugerem que um em três homens casados no Brasil já traiu a esposa. A pornografia talvez seja a arma atual mais eficaz do inimigo para nos derrubar, desqualificar e destruir. Estamos em uma guerra (v. Efésios 6:10-20 no contexto de Efésios 5:22–6:9)!

As estatísticas podem ser uma faca de dois gumes. Por um lado, podem levar à acomodação, se a pessoa descobrir que não está sozinha e que, de acordo com os números, muitos outros têm as mesmas lutas e dificuldades que ela (ou até piores). Por outro lado, as estatísticas também podem levar ao orgulho, se a pessoa se achar melhor que seus colegas, por nunca ter caído nesse tipo de tentação.

Ainda assim, as pesquisas, mesmo as de outro país americano, podem nos alertar quanto a perigos antes desconhecidos ou, até mesmo, ignorados. Por isso, citamos alguns dados que esclarecerão por que a batalha de ser "homem de uma só mulher" envolve homens em uma luta feroz e constante em meio a um mundo sexomaníaco.

— Em 2007, a pornografia global rendeu cerca de U$ 20 bilhões.

— Em 2012, A Academia Americana de Advogados Matrimoniais relatou que:

- 68% dos divórcios envolviam um cônjuge que encontrou um amante na internet.
- 56% dos divórcios envolviam um cônjuge com um interesse obsessivo por *sites* pornográficos.
- 47% dos divórcios envolviam tempo excessivo no computador.
- 33% dos divórcios envolviam tempo gasto em salas de bate-papo.

— De acordo com dados sobre uso da internet, aqueles que frequentam cultos religiosos são 26% *menos* inclinados a ver pornografia do que aqueles que *não* frequentam a igreja.

— Em 2006, uma pesquisa calculou que:

- Até 50% dos homens que se dizem cristãos e 20% das mulheres que se dizem cristãs têm um vício pornográfico.
- 33% dos pastores admitem que já visitaram um *site* de pornografia explícita.
- 75% dos pastores disseram que não prestam contas a ninguém pelo uso da internet.

— Em 2002, dos 1:351 pastores entrevistados, 54% disseram que haviam acessado pornografia na internet no último ano, e 30%, nos últimos 30 dias.[21]

Diante de estatísticas tão assustadoras e ataques incessantes contra a pureza moral, como podemos ser "homens de uma só mulher" de corpo e mente? Como o homem de Deus pode manter seu caminho puro (Salmos 119:9)?

Mais do que nunca, precisamos de uma dependência ininterrupta do Senhor que produza verdadeira vida em nós. A nossa fraqueza é uma lembrança constante do quanto necessitamos de Cristo! A guerra já foi ganha na cruz e na ressurreição de Cristo, mas devemos enfrentar a batalha de cada dia. O pecado não mais domina sobre nós (Romanos 6:11-14)!

A primeira qualidade de caráter específica mencionada por Paulo é "esposo de uma só mulher". Seu significado tem sido debatido e discutido. O que significa ser homem de uma só mulher? Por que ocupa uma posição de destaque nas listas de qualidades? O que revela sobre Deus e, mais especificamente, sobre o relacionamento entre Cristo e a igreja?

Observações iniciais

1. A qualificação "esposo de uma só mulher" aparece nas três listas de qualidades de caráter escritas por Paulo (1Timóteo 3:2,12; Tito 1:6), além de ser também o primeiro item considerado quando se trata de presbíteros/pastores da igreja. *A fidelidade do homem à esposa é um dos testes principais para provar seu verdadeiro caráter.* Está relacionada ao homem em casa e tem a ver com seu coração (o homem interior, cf. Mateus 5:27-30). O homem de Deus dá evidências claras de ser um homem dedicado exclusivamente a *uma só mulher* em todos os sentidos.

[21] *Pornography Statistics* (Covenant Eyes, 2013). Esse livreto gratuito encontra-se disponível em: <www.covenanteyes.com>. Inclui mais de 250 estatísticas, citações e outras informações de pesquisas feitas sobre pornografia especialmente entre cristãos nos últimos quinze anos.

2. Nesta lista de qualidades de caráter, recebe atenção especial o comportamento do líder em casa: sua casa está aberta, sem nada a esconder ("hospitaleiro"), e ele tem filhos sob controle (um exemplo vivo de sua habilidade de pastorear um rebanho). Note que Efésios 5:17—6:9 e Colossenses 3:16-21 também associam caráter espiritual (plenitude do Espírito e plenitude da palavra) à conduta no ambiente doméstico. Sem dúvida, podemos afirmar: "Sou quem eu sou *em casa*!"
3. É um mito dizer que é impossível vencer a tentação sexual. Segundo lemos em Romanos 6:11-14, o cristão deixa de ser um escravo de seus desejos e passa a ser servo de Cristo Jesus!

Vamos analisar o significado dessa frase e sua importância na vida do verdadeiro homem de Deus.

Qualidade de caráter: "esposo de uma só mulher"

Textos: 1Timóteo 3.2,12; Tito 1.6

Termo e significado: "esposo de uma só mulher" (1Timóteo 3.2; Tito 1.6) [μιᾶ̃ γυναικὸ̃ ἄνδρα]

O texto original enfatiza a palavra "uma", que aparece antecipada na frase; literalmente, "de uma mulher, marido". A ideia é que uma, e somente uma mulher está no coração e na mente do homem de Deus. "O determinante numeral 'uma' recebe ênfase na frase, portanto se infere que o líder não pode ter nada a ver com outra mulher. O pecado conjugal desqualifica o homem para a tarefa da supervisão [da igreja]"(KENT Jr., Homer A. *The Pastoral Epistles*, p. 122). Ele, por sua vez, deve estar totalmente dedicado a ela, tanto seu comportamento público quanto particular dão evidências disso. Ninguém pode acusá-lo de ser um "gavião", *playboy* ou mulherengo. As pessoas que o conhecem — esposa, colegas, amigos, vizinhos — dão prova disso. *Na busca por líderes dignos da família de Deus, Timóteo e Tito usariam a peneira do casamento e da fidelidade conjugal para a primeira avaliação!*

O homem de Deus é consagrado e fiel à esposa, em pensamento e em atitudes. Essa fidelidade à aliança conjugal serve de reflexo da fidelidade de Jesus com respeito à aliança que ele tem com a igreja (Efésios 5:32,33); serve também de espelho do compromisso, intimidade, unidade na diversidade e dos papéis que existem na própria Trindade (Gênesis 1:26,27). Por isso, e especialmente à luz da promiscuidade predominante naqueles dias (e hoje!), o testemunho de fidelidade sexual do homem seria algo impactante na comunidade. Seria uma evidência da atuação sobrenatural de Deus, um exemplo de "sal e luz" que atrairia pessoas para Cristo.

Note que essa qualidade de caráter é apresentada de forma positiva, não negativa. A ordem divina poderia ser: "não seja um adúltero". A ênfase, no entanto, está na devoção do homem de Deus à esposa, não no fato de nunca ser pego em imoralidade.[22] Tudo indica que o homem está vivendo hoje uma vida de devoção e exclusividade com a própria esposa, nas esferas emocional, física e espiritual.

Pureza moral não se limita ao âmbito externo; refere-se também ao interno. Certamente o fator externo seria mais visível e fácil de avaliar quando Timóteo e Tito estivessem procurando possíveis líderes para o rebanho em suas respectivas igrejas. Contudo, nas palavras de Jesus, entendemos que o coração é a essência da questão: *Ouvistes que foi dito: Não adulterarás. Eu, porém, vos digo: qualquer que olhar para uma mulher com intenção impura, no coração, já adulterou com ela* (Mateus 5:27,28).

Essa qualidade de caráter inclui tanto homens casados como solteiros; nada no texto indica que o homem pode ser um *playboy* até o momento de assumir os votos conjugais e depois automaticamente se tornar um marido consagrado e puro. Muito pelo contrário; os hábitos estabelecidos na juventude influenciam muito a pureza moral após o casamento.

[22] Encontramos declaração semelhante de exclusividade em Cantares 2.16; 6.3; 7.10: *O meu amado é meu, e eu sou dele.*

Desafio

Todo homem que é honesto consigo mesmo se une a Paulo nesta pergunta: "Quem é autossuficiente para essas coisas?" A resposta é ter a mente renovada diariamente, momento após momento, em dependência humilde e quebrantamento de espírito diante de Jesus Cristo (Romanos 12.1,2).

Conclusão

- No sentido **positivo**, que é o foco do texto, o homem de Deus precisa ser completamente dedicado à esposa, em manifestação de bondade e consideração, em palavra e pensamentos, em expressão de amor e carinho etc. (1Pedro 3:7; Efésios 5:25s). A mulher é sua única e suficiente esposa, amiga, a quem ele dedica atenção e por quem se entrega (Provérbios 5:15-19).
- O sentido **negativo** da frase seria que o homem não é promíscuo. Dessa forma, não existiriam hábitos sexuais ilícitos, vícios sexuais, práticas de promiscuidade "virtual", fantasias sexuais extraconjugais. Embora muitos hoje discordem, existe uma boa probabilidade de que "homem de uma só mulher" exclua homens divorciados e recasados da liderança espiritual da igreja. Essa questão envolve muitas considerações exegéticas que não podem ser tratadas aqui. Veja o Apêndice D para obter uma lista das maneiras como os estudiosos têm interpretado "uma só mulher" e suas implicações para o ministério pastoral.

Mais uma vez, reconhecemos que o alto padrão divino é impossível de ser atingido sem uma dependência única e exclusiva de Jesus. Ao mesmo tempo, a graça de Deus nos capacita e também cobre uma multidão de pecados. Quando reconhecemos que temos falhas, tratamos a todos com misericórdia e amor, sem considerar os outros como cidadãos de segunda classe. Quanto aos homens divorciados e recasados, Deus quer que seu casamento atual seja um sucesso total e que sua vida desafie outros homens a lutar com todas as forças para preservar seus casamentos. Para aqueles que lutam com uma história de sexualidade distorcida, Deus quer transformar seus pensamentos e hábitos com a renovação de sua mente. Acima de tudo, reconhecemos o alto valor que Deus dá ao casamento e à fidelidade sexual, e clamamos a ele para que sejamos homens puros e fiéis antes e durante o casamento.

PERGUNTAS PARA GRUPOS PEQUENOS

1. Quais os momentos de maior tentação sexual na sua vida? Quando acontecem? Onde? Por quê? Como você pode causar um "curto-circuito" nesses momentos de alta tensão?
2. Quais são algumas disciplinas que você tem praticado que podem ajudá-lo na luta para ser "homem de uma só mulher"?
3. Avalie esta declaração: "A vitória sobre a tentação sexual é alcançada ANTES da batalha, no campo de treino, não no calor da guerra". Você concorda ou discorda? Por quê?
4. Leia esta lista de sugestões práticas para a guerra contra a tentação sexual. Quais você já praticou? Quais podem ser usadas?
   - Procurar ter transparência com a esposa (prestação de contas) aliada ao fato de ter uma vida sexual dinâmica como casal (Provérbios 5.15-19).
   - Participar de grupos de prestação de contas (Tiago 5.16).
   - Fazer uma aliança com os olhos (Jó 31.1).
   - Disciplinar a boca (fala) e o coração (Mateus 15.18,19; v. Efésios 5.3-5).
   - Aplicar filtros nos canais televisivos de entretenimento, rede social etc. (Filipenses 4.8; Salmos 101).
   - Memorizar as Escrituras (Salmos 119.9,11), especialmente Romanos 6.11-14!
   - Planejar viagens cuidadosamente (Romanos 13.14).
   - Ligar frequentemente para casa quando estiver em viagem.

Orem uns pelos outros nesta área de grande tentação!

3

HOMEM DE UMA SÓ MULHER (II): A PORNOGRAFIA E O HOMEM DE DEUS

Há algum tempo, a mãe da nossa nora recebia clientes em casa e mostrava-lhes álbuns de fotos de eventos promovidos por sua empresa. Mas o latido incessante do mascote na entrada da casa estava atrapalhando a conversa. Quando Silvana foi verificar a causa da confusão, de repente uma cobra de quase três metros saiu debaixo de um móvel, agarrou-a pelo calcanhar e tentou puxá-la de volta ao esconderijo. Era uma píton africana, bicho de estimação que provavelmente havia escapado da gaiola de algum vizinho incauto.

Graças a Deus, Silvana sobreviveu ao ataque inesperado. As notícias não foram tão boas para a cobra! Quem teria imaginado uma píton africana daquele tamanho dentro de casa?

Infelizmente, existe uma cobra muito mais perigosa, escondida no lar da maioria de nós. Chama-se "tentação sexual". Esconde-se em lugares aconchegantes como revistas, programas de TV, *DVDs* e, principalmente hoje, na internet. É perigo à vista e está na sua casa e na minha.

Já vimos como Deus chama os homens para uma vida de integridade e pureza sexual, exclusivamente dedicada a uma só mulher (1Timóteo 3:2). Deus quer que cada um seja marido de uma só esposa. Por causa da seriedade da pureza sexual, especialmente nos dias em que vivemos, vamos tratar de mais alguns aspectos desse tema, exatamente para vencermos a batalha da pureza.

Certa vez alguém comentou: "Na internet, a gente navega ou naufraga". O que pode ser uma grande fonte de crescimento para a nossa vida, família, trabalho e ministério, também é capaz de nos destruir. O que antes exigia esforço, dinheiro e certo desembaraço (por exemplo, para entrar em uma loja e comprar uma revista pornográfica) hoje se reduz a dois comandos de voz ou toque, à distância, em algum dispositivo eletrônico. Tudo no anonimato, oculto e particular. Acesso fácil, rápido e moderno que oferece gratificação imediata a desejos sexuais, que podem ser satisfeitos sem envolvimento ou dedicação em um relacionamento!

Paulo chegou a prever dias assim. Descreveu os momentos que vivemos hoje:

> [...] *nos últimos dias, sobrevirão tempos difíceis, pois os homens serão* [...] *traidores, atrevidos, enfatuados, mais amigos dos prazeres que amigos de Deus* [...]. *Pois entre estes se encontram os que penetram sorrateiramente nas casas e conseguem cativar mulherinhas sobrecarregadas de pecados, conduzidas de várias paixões* (2Timóteo 3.1-6).

Nesta lição, descobriremos pelo menos quatro antídotos contra o veneno da tentação sexual que nos ajudarão a conseguir ser "homens de uma só mulher".

1. Reconhecer que a batalha pela pureza sexual começa no coração

Jesus deixou claro que a batalha pela pureza sexual tem como epicentro o coração. A imoralidade começa no interior:

> [...] *qualquer que olhar para uma mulher com intenção impura, no coração, já adulterou com ela* (Mateus 5.28).

A ênfase do texto não é o simples fato de "ver" uma pessoa atraente; nesse caso, seria necessário sair do mundo, nunca encarar *outdoors*, propagandas e revistas. A palavra "olhar" no texto está no tempo presente e sugere a ideia de "fixar os olhos, continuar olhando". A expressão "com intenção impura" deixa a ideia ainda mais clara. Esse olhar tem o propósito de curtir, contemplar e fantasiar.

> "Não é o olhar cobiçoso que causa o pecado no coração, mas o pecado no coração que causa o olhar cobiçoso."
> John MacArthur Jr.

O patriarca Jó sabia desse perigo e tomou providências contra ele:

> *Fiz aliança com meus olhos; como, pois, os fixaria eu numa donzela?* [...] *Se o meu coração se deixou seduzir por causa de mulher, se andei à espreita à porta do meu próximo,* [...] *seria fogo que consome até à destruição e desarraigaria toda a minha renda* (Jó 31.1,9,12).

Refletindo sobre isso, será que você vê a seriedade do pecado sexual e seus efeitos no coração? Está pronto para entrar em uma batalha que provavelmente continuará até o final da sua vida? Esse fato o desanima?

Seja forte! Seja homem! Entre nesta batalha, mas não confie na sua própria força; dependa do único capaz de nos dar a vitória. Se a batalha é travada na esfera do coração, então a defesa também terá que ser edificada nele.

2. REPUDIAR o pecado sexual

O segundo passo bíblico para vencer o vício da pornografia e dos pensamentos impuros exige que repudiemos a sujeira do nosso coração. Não é suficiente reconhecer que a batalha começa no coração. Precisamos *odiar* esse pecado, talvez mais que qualquer outro que enfrentamos como homens.

No mesmo contexto em que condena o olhar sensual, Jesus deixa algo muito claro:

> *Se o teu olho direito te faz tropeçar, arranca-o e lança-o de ti; pois te convém que se perca um dos teus membros, e não seja todo o teu corpo lançado no inferno. E, se a tua mão direita te faz tropeçar, corta-a e lança-a de ti; pois te convém que se perca um dos teus membros, e não vá todo o teu corpo para o inferno* (Mateus 5.29,30).

Um dos sinais do novo nascimento (v. João 3) e da nossa participação na nova aliança estabelecida pelo sangue de Jesus é a sensibilidade diante do pecado — algo que antes considerávamos normal. Ezequiel profetizou uma das consequências dessa nova aliança ao predizer: *tereis nojo de vós mesmos por causa das vossas iniquidades* (Ezequiel 36:31).

Todo pecado é horrível e trágico. Mas o pecado sexual é repugnante e catastrófico por pelo menos quatro razões:

- É uma ofensa contra a santidade de Deus e seu propósito para a sexualidade humana: um homem e uma mulher que desfrutam da união sexual durante a vida, como reflexo da glória de um Deus trino e uno (Gênesis 1:27; 2:24; Hebreus 13:4).
- É uma ofensa contra a imagem de Deus refletida no ser humano e contra irmãs em Cristo (1Timóteo 5:2).
- É uma ofensa contra a família e contra pessoas a quem queremos bem: *O que adultera com uma mulher está fora de si; só mesmo quem quer arruinar-se é que pratica tal coisa. Achará açoites e infâmia, e o seu opróbrio nunca se apagará* (Provérbios 6:32,33).
- É uma ofensa contra o próprio homem, por causa do dano moral, emocional, espiritual e físico que lhe causa (Provérbios 6:32).

Pense por alguns instantes: Você está se tornando cada vez menos sensível ao pecado sexual? Lembra-se da experiência com o sapo na panela de água morna, que vai se esquentando imperceptivelmente, pouco a pouco? A qualquer hora o sapo poderia pular para fora da panela, mas vai se acomodando até que seu sangue "frio" ferve e ele morre. Você percebe que está na panela da tentação sexual, cada vez mais acostumado com ela? Será que as coisas que o envergonhavam no passado hoje já não causam mais nenhum constrangimento em você? O que mudou? Por quê?

3. RENUNCIAR A TUDO QUE ALIMENTE A NATUREZA CARNAL

O terceiro passo em direção à libertação do vício sexual envolve atitudes *radicais* (literalmente, "de raiz") para tratar do pecado. Voltando para o Sermão do Monte, quando Jesus trata do "adultério interno", diz:

> *Se o teu olho direito te faz tropeçar,* **arranca-o e lança-o de ti** [...]. *E, se a tua mão direita te faz tropeçar,* **corta-a e lança-a de ti** (Mateus 5.29,30, grifos nossos).

Obviamente Jesus não espera que façamos uma amputação literal (embora pelo menos um dos pais da Igreja, Orígenes, tenha se castrado supostamente em cumprimento desse texto!). Nesse caso, todos estaríamos cegos e manetas.

Ao que tudo indica, esse ensino duro de Jesus destaca a seriedade do pecado e especialmente do pecado sexual. Note que ele fala do olho direito e da mão direita. Por que essa especificação? Provavelmente representam o que temos de melhor. O olho direito (para 85% dos seres humanos) é o olho dominante, com o qual se mira, acerta o alvo, percebe dimensões e permanece no caminho. A mão direita representa a nossa destreza, habilidade, capacidade e talento. Arrancar o olho direito ou a mão direita significa fazer qualquer sacrifício necessário para fugir do pecado. Hoje podemos dizer que significa fazer o que for necessário para *parar de olhar e parar de acessar determinado conteúdo!*

A mesma orientação para renunciar radicalmente à tentação sexual tem eco em Romanos 13:13,14:

> *Vivamos de modo decente, como quem vive de dia: não em orgias e bebedeiras, não em imoralidade sexual e depravação, não em discórdias e inveja. Mas revesti-vos do Senhor Jesus Cristo;* ***e não fiqueis pensando em como atender aos desejos da carne*** [Almeida Século 21; grifo nosso].

A ideia é que devemos tomar passos *premeditados* para evitar o pecado sexual, reconhecendo que a probabilidade da queda aumenta à medida que nos aproximamos da fonte da tentação. Basta lembrar que o fato de ser tentado não significa cair em pecado. Mas a presença contínua da tentação conduz ao pecado quando ele começa a ser cogitado (Tiago 1:13-17). "Melhor prevenir do que remediar" —, diz o ditado!

O apóstolo Paulo reconhecia que ninguém fica imune a essas tentações e por isso disciplinava-se a si mesmo: *Mas esmurro o meu corpo e o reduzo à escravidão, para que, tendo pregado a outros, não venha eu mesmo a ser desqualificado* (1Coríntios 9:27). Talvez por isso o conselho unânime das Escrituras quanto à tentação sexual é *fugir*: *Fugi da impureza* (1Coríntios 6:18; Provérbios 5:8; 6:24,25).

> "A melhor maneira de enfrentar a tentação é pela covardia!"
>
> MARK TWAIN

O fato é que alguns momentos de prazer podem estragar uma vida de alegria. Como comenta John MacArthur Jr.: "O coração adúltero planeja como se expor a estímulos sexuais. O coração piedoso planeja como evitar o pecado sexual".

Como você planeja evitar a tentação sexual? Ou será que age de forma disfarçada e sutil tentando expor-se àquilo que é sexualmente excitante?

4. RENOVAR O CORAÇÃO

Podemos seguir todos os passos acima — 1) reconhecer que o problema do pecado sexual reside no coração; 2) repudiar o pecado; 3) renunciar a alimentar a natureza carnal — e ainda assim não chegar ao cerne da questão, que é a questão do coração. A cura para o pecado sexual concentra-se no coração.

O problema: À luz do ensino de Jesus no Sermão do Monte, precisamos tomar passos radicais para remover o que causa o pecado. Mas, se formos honestos, não é o olho que nos faz pecar, nem a mão. Estes não passam de instrumentos do corpo que podem ser usados para nos fazer mal (cf. Romanos 6:11-14). O que nos faz pecar é o coração, ou seja, a essência do nosso ser, o verdadeiro eu, o centro do controle intelectual, emocional e volitivo da nossa vida.

A solução: Então, como tratar do problema em sua raiz? Há dois passos concretos que podemos tomar.

a) Fazer um TRANSPLANTE de coração

Jesus falou que o olhar impuro equivalia a adultério *no coração*. Por isso, antes de tomarmos medidas radicais ("arrancar o olho" ou "cortar a mão"), é necessário transplantar o coração. O profeta Ezequiel profetizou sobre esse benefício da nova aliança ao dizer:

> *Dar-vos-ei coração novo e porei dentro de vós espírito novo; tirarei de vós o coração de pedra e vos darei coração de carne. Porei dentro de vós o meu Espírito e farei que andeis nos meus estatutos, guardeis os meus juízos e os observeis* (Ezequiel 36.26,27).

O transplante de coração é necessário porque a nossa velha natureza só produz sujeira:

> *Porque de dentro, do coração dos homens, é que procedem os maus desígnios, a prostituição, os furtos, os homicídios, os adultérios, a avareza, as malícias, o dolo, a lascívia, a inveja, a blasfêmia, a soberba, a loucura. Ora, todos estes males vêm de dentro e contaminam o homem* (Marcos 7.21-23).

Então como podemos receber um transplante de coração? A resposta está no que Jesus chamou de "novo nascimento": *Em verdade, em verdade te digo que, se alguém não nascer de novo, não pode ver o reino de Deus* (João 3:3). Nascer de novo significa iniciar uma nova vida a partir do momento em que a pessoa confessa Jesus como único e suficiente Salvador pessoal: *Mas, a todos quantos o receberam, deu-lhes o poder de serem feitos filhos de Deus, a saber, aos que creem no seu nome* (João 1:12).

O transplante de coração acontece quando reconhecemos a nossa desprezível condição de pecadores: merecedores do abismo do inferno, mas que, nos braços de Jesus, encontram salvação. Quem dá esse pulo de fé confia em que sua única esperança está na morte e na ressurreição de Jesus em seu lugar (2Coríntios 5:17,21). A partir desse momento, nascemos de novo. Recebemos um novo coração, ou seja, uma nova natureza. É nesse instante, pela primeira vez na vida, que passamos a estar capacitados pelo Espírito de Deus a obedecer a ele e negar a carne.

b) Transformar (e renovar) o coração diariamente

Como já sabemos, quem recebe um transplante de coração não resolverá todos os problemas de saúde de uma vez por todas. Pelo resto da vida terá que tomar remédios diariamente a fim de evitar que seu corpo rejeite o novo coração.

Da mesma forma acontece na nossa vida espiritual: *Porque a carne milita contra o Espírito, e o Espírito, contra a carne, porque são opostos entre si* (Gálatas 5:17). Quem recebe um coração novo com a capacidade de fazer o certo precisará renovar esse coração diariamente. Isso é "andar no Espírito" (Gálatas 5:16,18).

Como experimentar essa transformação diária que nos fortalece na luta contra o pecado sexual? A chave está na renovação da mente pela palavra de Deus:

> *Rogo-vos, pois, irmãos, pelas misericórdias de Deus, que apresenteis o vosso corpo por sacrifício vivo, santo e agradável a Deus, que é o vosso culto racional. E não vos conformeis com este século, mas transformai-vos pela renovação da vossa mente,*

para que experimenteis qual seja a boa, agradável e perfeita vontade de Deus (Romanos 12.1,2; cf. Salmos 119.9,11).

Parte do processo de renovação diária significa ensinar o evangelho a nós mesmos, recitando os seus fatos: o que eu era *sem* Cristo, o que Deus me fez *em* Cristo e agora o que faço *com* Cristo (cf. Efésios 2:1-10; 11-22). O evangelho nos fornece o poder de que precisamos para resistir à tentação. Mas é necessário que nos esforcemos a fim de conscientemente dispormos as partes do nosso corpo para uso exclusivo de Deus, não do pecado:

> *Assim também vós considerai-vos mortos para o pecado, mas vivos para Deus, em Cristo Jesus. Não reine, portanto, o pecado em vosso corpo mortal, de maneira que obedeçais às suas paixões; nem ofereçais cada um os membros do seu corpo ao pecado, como instrumentos de iniquidade; mas oferecei-vos a Deus, como ressurretos dentre os mortos, e os vossos membros, a Deus, como instrumentos de justiça. Porque o pecado não terá domínio sobre vós; pois não estais debaixo da lei, e sim da graça* (Romanos 6.11-14).

À luz do que vimos sobre o perigo da pornografia e dos vícios sexuais, queremos dar sugestões práticas para vencermos esta batalha e sermos cada qual "homem de uma só mulher":

1. Decida antecipadamente como você reagirá diante da tentação quando ela surgir (1Tessalonicenses 4:3).
2. Examine as situações de maior vulnerabilidade à tentação sexual e faça de tudo para evitá-las (Romanos 13:14).
3. PARA O SOLTEIRO: Case-se e satisfaça-se com o amor e a intimidade exclusiva de um relacionamento com a sua mulher (Provérbios 5:15-19; 1Coríntios 7:1-7).
4. Medite nas consequências a curto, médio e longo prazo do pecado sexual (Provérbios 5–7; Hebreus 11:25,26).

5. Preste contas a alguém de sua confiança (v. Introdução) sobre áreas de tentação e orem juntos.
6. Não guarde segredos, nem tente vencer esta batalha sozinho (Tiago 5:16).
7. Coloque o computador ou a TV em lugar visível para todos que entrem na sala ou no quarto; use filtros de segurança na internet e programas de prestação de contas para evitar conteúdo suspeito.
8. Estabeleça ética pessoal sobre a maneira de interagir com pessoas do sexo oposto (por exemplo, evitar caronas, encontros a sós, toques inapropriados).
9. Vigie o que você e a sua família veem na televisão; siga o conselho de Davi no Salmo 101 a respeito dos cuidados necessários com o que entra na sua casa por meio do entretenimento.
10. Tome precauções ao viajar: se possível, opte por um quarto sem TV; faça ligações frequentes à sua esposa; procure ter companheiros de viagem etc.

Terminamos este estudo com boas notícias: o fato de você ainda lutar contra o pecado sexual, ter aversão a ele e querer fugir disso é sinal (mas não garantia) de que você tem um novo coração. O homem dominado pelo pecado em geral não sente essas coisas. No entanto, a batalha continua sendo grande; ainda mais nos dias em que vivemos, quando o corpo humano e o sexo são usados para promover desde pastas de dente até carros luxuosos.

Nunca podemos baixar a guarda. Os ataques do nosso inimigo continuarão até o fim da nossa vida. Portanto, precisaremos tomar uma posição, depender de Deus e ter a mente focada em sua palavra e na constante comunhão com ele para renovar os nossos pensamentos dia a dia, momento a momento. Não é nada fácil. Mas Deus é glorificado nesse processo, pelo fato de fugirmos *do* pecado e corrermos *para* ele. Que Deus nos dê essa graça, de fazer morrer a natureza terrena e deixar viver a nova identidade em Cristo Jesus:

Fazei, pois, morrer a vossa natureza terrena: prostituição, impureza, paixão lasciva, desejo maligno e a avareza, que é idolatria; por estas coisas é que vem a ira de Deus sobre os filhos da desobediência (Colossenses 3.5,6).

Ou não sabeis que os injustos não herdarão o reino de Deus? Não vos enganeis: nem impuros, nem idólatras, nem adúlteros, nem efeminados, nem sodomitas, nem ladrões, nem avarentos, nem bêbados, nem maldizentes, nem roubadores herdarão o reino de Deus. Tais fostes alguns de vós; mas vós vos lavastes, mas fostes santificados, mas fostes justificados em o nome do Senhor Jesus Cristo e no Espírito do nosso Deus (1Coríntios 6.9-11).

PERGUNTAS PARA GRUPOS PEQUENOS

ATÉ QUE PONTO SOU UM "HOMEM DE UMA SÓ MULHER": PERGUNTAS PARA AUTOAVALIAÇÃO*

As perguntas de autoavaliação a seguir indicam algumas áreas do seu coração que precisam ser vigiadas. Se você tiver falhado em uma ou mais áreas, isso não necessariamente o desqualifica como "homem de Deus"; tal constatação servirá de sinais de alerta e de perigos à vista.

Em grupo, leiam cada pergunta, comentem sobre ela e levantem possíveis soluções.

1. Costumo "zapear" entre os canais de televisão procurando programas que exibam nudez e sensualidade? (Jó 31.1)
2. Os meus olhos tendem a olhar de maneira imprópria para o corpo das mulheres? (Mateus 5.28)
3. Passo de propósito na frente de *outdoors* ou bancas de jornal para "dar uma olhada"? (Provérbios 4.14,15)
4. Costumo passear no *shopping* pelas seções que vendem roupa íntima? (Provérbios 4.25-27)

* Traduzido e adaptado do artigo "Rediscovering Sexual Purity". In: *Spirit of Revival*, nov. 2002, p. 34-38.

5. Olho atentamente fotos sensuais e provocantes nas revistas que leio? (Provérbios 6.23-25)
6. Estou escondendo um hábito sexual? (1Coríntios 6.18,19)
7. Justifico minimamente a exposição à nudez porque sou adulto, mesmo sabendo que isso estimula pensamentos e desejos ilícitos em mim? (Cântico 2.15)
8. Leio resenhas de filmes, novelas, livros ou peças explicitamente sexuais para satisfazer a desejos não saudáveis? (1João 2.16)
9. Há atividades sexuais de que eu participaria se soubesse que ninguém iria descobrir? (Provérbios 15.3)
10. Procuro oportunidades de envolver-me com mulheres (conversas, aconselhamento etc.), em vez de sugerir que elas falem com outra mulher? (Tiago 1.14)
11. Estou me aproximando demais de uma mulher que não seja a minha esposa e assim me tornando vulnerável ao pecado sexual? (Gênesis 39.7-12)
12. Preocupo-me mais com o corpo da minha esposa do que com outros aspectos da sua vida? (1Pedro 3.3,4,7)
13. Pressiono a minha esposa para que participe de práticas sexuais que já sei que não lhe agradam? (1Pedro 3.7; Hebreus 13.4)
14. Penso em fantasias com outras mulheres durante a intimidade com a minha esposa? (Mateus 5.28; Provérbios 5.18-20)
15. Tenho acesso a canais de TV a cabo ou satélite que me dão oportunidade de realizar desejos imorais? (Romanos 13.14)
16. Quando viajo, acabo assistindo ao que não presta no quarto do hotel ou no computador? (Romanos 13.14)
17. O grau de tristeza e culpa relacionado aos fracassos na área sexual é menor hoje do que era no passado? (Efésios 4.30)

4

O CORDÃO DE TRÊS DOBRAS:

VIDA ESTÁVEL E EQUILIBRADA

A invenção do giroscópio revolucionou a navegação marítima e aeronáutica. O giroscópio tem como principal função manter sempre a orientação paralela ao horizonte. Ou seja, o giroscópio continua estável quando tudo ao redor está uma bagunça. Hoje em dia, na aeronáutica, são montados dois giroscópios perpendiculares, possibilitando a detecção da mais mínima mudança de orientação do veículo.

O homem de Deus, direcionado pelo "giroscópio" da palavra e do Espírito de Deus, tem uma vida estável e equilibrada. No entanto, em muitos homens falta essa orientação básica para a vida. Sofrem frequentes altos e baixos, são inconstantes, aderem a cada novo modismo que surge ou, como diriam alguns, são "de lua".

Paulo descreve os homens com esse perfil e, antes, declara que o alvo para o homem de Deus é a "perfeita varonilidade", a "medida da estatura da plenitude de Cristo":

> [...] *até que todos cheguemos à unidade da fé e do pleno conhecimento do Filho de Deus, à perfeita varonilidade, à medida da estatura da plenitude de Cristo, para que não mais sejamos como meninos, agitados de um lado para outro e levados ao redor por todo vento de doutrina, pela artimanha dos homens, pela astúcia com que induzem ao erro* (Efésios 4.13,14).

Vivemos num mundo de extremos, em que a vida de muitos está fora de controle; são pessoas levadas de um lado a outro por vícios, paixões desequilibradas e perversões. As paixões desenfreadas e o desejo por gratificação imediata tiram o nosso foco das prioridades eternas, roubam-nos o equilíbrio e destroem o respeito mútuo. Tratam-se de verdadeiros ídolos que erguemos no nosso coração, tomando o lugar de Deus e levando-nos ao caos, à desordem interior e exterior, à dissolução e ao desequilíbrio.

No contexto eclesiástico, os modismos, as ondas de doutrinas e práticas exageradas e excêntricas têm feito da igreja uma piada para muitos dentro e fora dela. A cada dia parecem surgir mais práticas alheias às Escrituras, aliadas a fórmulas e pacotes ministeriais que, apesar de prometer o sucesso da igreja, muitas vezes são o motor de divisão e confusão entre seguidores e fiéis.

Para discutir

Quais são as evidências de uma vida e de áreas desequilibradas e instáveis, tanto no mundo quanto na igreja?

Ao descrever as qualidades de caráter de um homem de Deus, Paulo inclui mais três atributos essenciais que estão entrelaçados. Estes nos fazem lembrar do que o autor de Eclesiastes chama de *cordão de três dobras* que não se rebenta com facilidade (Eclesiastes 4:12). Os três termos que Paulo usa estão interligados a tal ponto que vamos considerá-los como um conjunto, destacando a progressão lógica existente entre eles. Descrevem um homem sensato, disciplinado e ordeiro. A ideia é de um homem *equilibrado*! "Ele deve ser um homem sóbrio, completamente racional [...] bem equilibrado [...] uma pessoa discreta e prudente."[23]

Quais são as razões pelas quais Deus quer que homens líderes da família de Deus sejam estáveis e equilibrados? Que

[23] Hiebert, D. Edmond. *First Timothy*. Chicago: Moody Press, 1957, p. 65 (Everyman's Bible Commentary).

perigos correm a família e a sociedade em geral, quando os homens são instáveis e desequilibrados? Você tem visto o estrago que um homem instável e desequilibrado pode causar em sua família, igreja, trabalho e comunidade?

Qualidade de caráter: "temperante, sóbrio, modesto (respeitável)"

Texto: 1Timóteo 3.2,8

Os termos "temperante", "sóbrio" e "modesto" têm sido traduzidos e definidos de muitas maneiras, criando certa confusão na tentativa de diferenciar o significado de cada um. A nosso ver, no entanto, parece haver uma sobreposição de campo semântico entre eles. Como conjunto, apresentam o perfil de um homem sob controle, equilibrado, estável e respeitável.

Termo original	νηφάλιον **(*nefalion*)**	σώφρονα **(*sofrona*)**	κόσμιον **(*kosmion*)**
Definição	Temperante, sóbrio (no uso de bebidas alcoólicas), mente alerta, autocontrolado. Fonte: (*A Greek-English Lexicon of the New Testament and Other Early Christian Literature*, 3ª ed. Chicago: The University of Chicago *Press, 2001,* p. 538). Como verbo: ser sóbrio.	Prudente, pensativo, autocontrolado. Referente a mulheres: decente, modesta (Idem, p. 802). Como verbo: ter pleno controle de faculdades mentais, raciocinar com lucidez, ser sóbrio ou sério.	Respeitável, honroso. Referente a mulheres: modesta. Como advérbio: *modestamente* (1Timóteo 2.9). Como verbo: adornar, decorar, colocar em ordem (Idem, p. 445).

Termo original (cont.)	νηφάλιον (*nefalion*)	σώφρονα (*sofrona*)	κόσμιον (*kosmion*)
Uso no NT	1Timóteo 3.2,11; Tito 2.2	Tito 1.8;2.2,5; 1Pedro 4.7	1Timóteo 2.9
Nova Versão Internacional (NVI)	Moderado	Sensato	Respeitável
Almeida Revista e Atualizada (RA)	Temperante	Sóbrio	Modesto
Almeida Revista e Corrigida (RC)	Vigilante	Sóbrio	Honesto
Bíblia na Linguagem de Hoje (BLH)	Moderado	Prudente	Simples
Bíblia Viva (BV)	Trabalhador, incansável	Cuidadoso, ordeiro	Cheio de boas obras
Bíblia de Jerusalém (BJ)	Sóbrio	Cheio de bom senso	Simples no vestir
RESUMO	**ESTÁVEL, CONSTANTE**	**EQUILIBRADO**	**ORDEIRO, RESPEITÁVEL**
Antônimo (oposto)	**INSTÁVEL, VACILANTE, INCONS-TANTE**	**DESEQUILIBRADO, INCONSEQUENTE**	**DESORGANIZADO, CONFUSO, DESRESPEITADO**

Observações iniciais

1. Kent une essas três qualidades de caráter à frase "apto para ensinar" como as qualificações mentais do homem de Deus.[24] Hiebert considera-as como qualificações "pessoais". Entendemos que os termos descrevem um homem sério ("sóbrio", 2Timóteo 4:1-5), que outros procuram para conselho espiritual, pois reconhecem nele pessoa sensata.[25] "Sério" não quer dizer mal-humorado; pelo contrário, trata-se de um homem que sabe fazer uso do humor e da seriedade sempre que necessário.
2. É alguém disciplinado e ordeiro, com mente e corpo sob controle; por isso, é respeitado dentro e fora da igreja.[26] Quando fala, as pessoas prestam atenção. Quando emite uma opinião, as pessoas consideram o que ele diz. Em todos os sentidos, esse homem adorna a igreja e a reputação de Jesus Cristo na comunidade (Tito 2:10). Não é instável, levado por todo vento de doutrina e modismo (Efésios 4:11-14).
3. Os termos têm uma ligação lógica entre si, apresentando uma progressão da *moderação* (temperante, que inclui a ideia de ser equilibrado) para o *autocontrole* (alguém disciplinado e de raciocínio claro), resultando em uma vida *digna*, ordenada e organizada, e, por isso, respeitável.

[24] Kent Jr., Homer A. *The Pastoral Epistles*, p. 125.

[25] Hiebert, D. Edmond. *First Timothy*, p. 65.

[26] Um quarto termo, σεμνῦ (*semnos*), é a primeira palavra usada para descrever as qualificações dos diáconos. Parece ser um sinônimo de κόσμιον (*kosmion)*, traduzido por "respeitável" (RA), "digno" (NVI), "honesto" (RC), "bom e firme" (BV) e "bom caráter" (BLH). Aparece somente três outras vezes no NT: Filipenses 4.8, 1Timóteo 3.11, Tito 2.2. Ressalta a ideia de que o homem de Deus tem caráter digno e respeitável que atrai pessoas para a igreja, família de Deus.

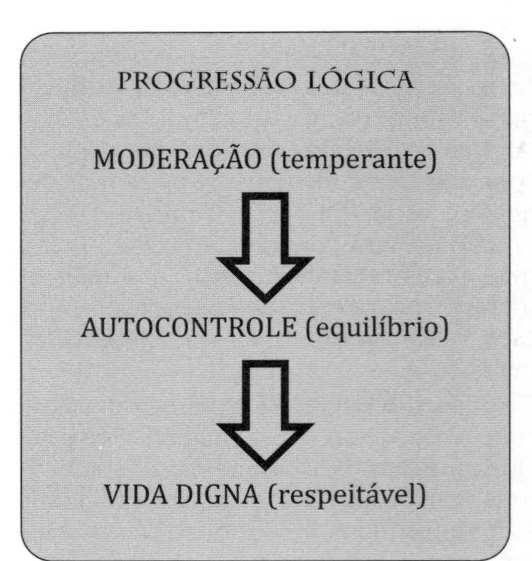

Pessoas desequilibradas por falta de moderação perdem a capacidade de pensar claramente e responder com sensibilidade ao Espírito Santo; por isso perdem o respeito das pessoas mais próximas. Poderíamos resumir esse conjunto de qualidades de caráter com os seguintes termos:

- Sóbrio
- Sensato
- Apropriado
- Autocontrolado
- Equilibrado
- Ordeiro
- Respeitável
- Estável
- Estimado

A vida neste mundo tende à desordem e ao caos. Mas o homem de Deus, dirigido pela palavra e pelo Espírito

Santo, vence a batalha contra o desequilíbrio. Pela graça de Deus, que faz tudo com ordem, paz e decência (1Coríntios 14:33,40), podemos alcançar o equilíbrio e a estabilidade, justamente porque Cristo vive em nós.

Vemos as qualidades da sobriedade, da estabilidade e da vida ordenada evidenciadas no caráter de Jesus. Ele conduzia sua vida e seu ministério de forma organizada, sem pressa, com dignidade, autocontrole e calma. Jesus não era frenético nem estressado! Seu compromisso para com as prioridades eternas fez com que ele evitasse distrações frívolas, mundanas e vazias. Mesmo cercado pelas multidões, Jesus não deixava de ver — com profundidade — os indivíduos. Mesmo quando atingiu o auge de sua popularidade terrena, ele manteve equilíbrio e foco, isolando-se das multidões para desfrutar da comunhão íntima com o Pai. Seu comportamento sempre foi apropriado, moderado e respeitável.

Jesus quer viver em nós e por meio de nós (Gálatas 2:20). Assim como a vida da videira flui e faz frutificar os ramos (João 15:1-5), reconhecemos que só Jesus, pelo poder do Espírito, pode produzir esse fruto na nossa vida. *O fruto do Espírito é* [...] *domínio próprio* (Gálatas 5:22,23). O Espírito de Deus tem como alvo produzir a vida de Jesus em nós. Ele usa sua palavra para nos nortear pelo labirinto da vida.

Conclusão

Como está o giroscópio da sua vida? Você tem permitido que a palavra de Deus seja o seu estabilizador? Tem sido sensível ao toque do Espírito pela palavra, revelando áreas da sua vida que estejam fora de controle ou instáveis? Que sejamos homens cada vez mais equilibrados e sensatos para a glória de Deus!

As perguntas que seguem podem nos ajudar a determinar até que ponto somos homens estáveis e equilibrados:

1. Existe alguma área da sua vida que está fora de controle: um ídolo que o domina e que é importante

demais para você? Um vício, mesmo que "inocente", que consome grande parte do seu tempo e da sua atenção? Exemplos:

- Comida
- Computador
- Dispositivos móveis
- Entretenimentos
- Esportes
- Estudo
- Exercício físico/beleza e aparência
- Jogos de *videogame* ou jogos de azar
- Leitura
- Ministério
- Rádio, televisão ou cinema
- Sexo
- Sono

2. A sua vida é caracterizada por desorganização, desequilíbrio ou caos? Os seus pensamentos são disciplinados e decentes? Você passa por muitos "altos e baixos" em alguma(s) área(s)?
3. Você começa muitos projetos e não os conclui?
4. Você é facilmente levado por modismos? É atraído pelo enriquecimento fácil?
5. Você é estável e firme nas suas convicções e hábitos pessoais? Ou vacila emocional e espiritualmente?
6. As pessoas o descreveriam como frenético, estressado, ou calmo e acessível?
7. As pessoas o procuram para se aconselhar? Ou você em geral não é levado a sério?
8. Você sente com frequência que perde tempo com atividades frívolas?
9. A sua vida é controlada pelo Espírito Santo? Demonstra equilíbrio e disciplina santa?

PERGUNTAS PARA GRUPOS PEQUENOS

1. Quais são as áreas da sua vida que podem se tornar obsessão, provocando desequilíbrio, desorganização e ofuscando o bom senso e as prioridades?
2. Existe alguma área prioritária na sua vida (família, tempo com Deus, serviço, atividade física etc.) que você tem negligenciado em favor de um *hobby* ou atividade menos importante?
3. Se respondeu afirmativamente à pergunta anterior, procure identificar onde está o problema:
   - Entretenimento (TV, filmes etc.)
   - Aparência física
   - Comida
   - Esportes
   - Leitura
   - Computador

Orem uns pelos outros para que tenham coragem de confrontar possíveis ídolos arraigados no coração que já se tornaram vícios, destruindo parte do seu autocontrole e respeito.

5

HOSPITALEIRO

Nos últimos anos temos visto um aumento assustador de escândalos no mundo dos esportes, principalmente no que diz respeito à prática de *doping* — o uso de substâncias químicas ingeridas pelo atleta para elevar sua resistência e desempenho, dando-lhe vantagem numa competição. Mas testes *antidoping* cada vez mais sofisticados expõem aqueles que tentam burlar o sistema. Os infratores são revelados pelo que realmente são — ou não são.

Infelizmente, não existe nenhum teste químico para revelar o verdadeiro caráter de um homem. Mas na lista de qualidades de caráter do homem de Deus, encontramos um atributo que tem a mesma finalidade: *hospitaleiro*.

Alguém poderia pensar: "Mas hospitalidade parece ser uma característica feminina. O que tem a ver comigo?"

Deus considerou a hospitalidade importante o suficiente para fazer parte não somente uma vez, mas duas vezes da lista de qualificações do homem de Deus, líder espiritual da igreja (1Timóteo 3:2; Tito 1:8). Por quê?

Podemos encontrar vários motivos para esse fato:

1. Nas culturas bíblicas, a hospitalidade era uma das principais marcas do caráter de um homem benevolente (Gênesis 18 e 19). Revelava uma pessoa amiga, desprendida, ordeira e generosa — atributos tidos em alta estima.

2. Como responsável pela família na cultura do Oriente Médio, o homem, não a mulher, tinha a última palavra sobre o uso da casa para receber outras pessoas.
3. Ser hospitaleiro significa estar aberto para que as demais características que descrevem o homem de Deus sejam conhecidas. Esta prova de caráter revela se o homem é o que aparenta ser, em um contexto transparente, no qual não há lugar para dissimulações!

Infelizmente, a prática da hospitalidade está ficando cada vez mais rara. Poucas pessoas estão dispostas a convidar outros a compartilhar uma refeição ou a passar um tempo em suas casas.

Na sua opinião, por que tem diminuído a disposição das pessoas em praticar a hospitalidade?

Observações iniciais

1. À primeira vista, "hospitaleiro" parece estar fora de lugar nesta lista. Observe, porém, que se trata de uma qualidade de caráter mais relacionada ao lar do líder (cf. Efésios 5:18—6:9).
2. Esta qualidade é tão importante que consta em ambas as listas principais, pois lida com as qualificações da liderança espiritual (1Timóteo 3:2; Tito 1:8).
3. A hospitalidade muitas vezes caracteriza uma pessoa cuja vida é um "livro aberto", que nada tem a esconder.
4. A hospitalidade exige desprendimento de bens materiais, compaixão, transparência, autocontrole e altruísmo — um ótimo resumo das qualidades de caráter de um homem de Deus!

Contexto cultural

Fatores culturais na igreja primitiva ajudam a explicar a importância da hospitalidade no homem de Deus e por que foi um ministério estratégico no início da igreja. Mencionamos algumas das razões a seguir:

1. A *perseguição* dos cristãos era muito frequente, o que resultava em desemprego, exílio forçado, peregrinação e necessidade de moradia. Um número expressivo de crentes foi disperso (cf. Tiago 1:1; 1Pedro 1:1; Atos 8:1) e eles precisavam de abrigo e refúgio seguros enquanto transitavam.
2. As *estradas e as viagens* eram perigosas porque não havia redes de hotéis e hospedarias seguras (v. Lucas 10:25-37).
3. *O ministério* itinerante dependia de uma rede de igrejas em casa que dispusesse de hospedeiros dispostos a alimentar, hospedar e encorajar os evangelistas em seus ministérios.
4. As *igrejas locais* funcionavam nas *casas* dos membros, muitas vezes na casa do líder (v. Colossenses 4:15; Romanos 16:3-5; 1Coríntios 16:19). Se ele não era hospitaleiro, a igreja não podia crescer!

Em todos esses casos, esperava-se que a liderança local estivesse à *frente no cuidado dos cristãos viajantes.*

Qualidade de caráter: "hospitaleiro"

Textos: 1Timóteo 3.2; Tito 1.8

Termo e significado: "hospitaleiro"

Termo grego φιλόξενον, (filoxenon), composto de dois termos gregos que significam "amigo"/"amor" (φιλô – filos) e "estrangeiro" (ξενô – xenos).

Embora a hospitalidade hoje seja mais praticada entre pessoas já conhecidas, o termo e seu uso original certamente incluíam o cuidado e a hospedagem de pessoas desconhecidas, usando o lar como centro de ministério e refrigério para ministros itinerantes do evangelho e pessoas carentes.

POR QUE PRATICAR A HOSPITALIDADE HOJE?

Mesmo que hoje a hospitalidade esteja inserida em um contexto diferente com relação ao da igreja primitiva, continua sendo um ministério importante. Serve de excelente ferramenta para avaliar o caráter de um homem e sua aptidão para o ministério, pelo menos por algumas razões:[27]

1. Deus exige a prática da hospitalidade (Romanos 12:13; 1Pedro 4:9).
2. A prática da hospitalidade nos ensina a ceder a nossa casa; por isso expõe o coração do homem e de sua família ("Sou quem eu sou em casa"; Efésios 5:18—6:9).
3. A prática da hospitalidade desenvolve o desprendimento com respeito ao que possuímos; portanto, acaba revelando o nosso "tesouro", o que mais valorizamos (Mateus 6:19-21; observe que o homem de Deus não deve ser "avarento": 1Timóteo 3:3; cf. Atos 4:34,35).
4. Uma vez que a prática da hospitalidade envolve toda a família, torna-se uma excelente ferramenta para treinar os filhos no que diz respeito a ceder e compartilhar, por exemplo, seu quarto com um hóspede; desse modo, sua vida pode ser eternamente enriquecida no contato com pessoas carentes ou com ministros do evangelho.
5. A prática da hospitalidade oferece a oportunidade de exercer bondade genuína, sem expectativas de receber recompensa; além disso, pode brindar-nos com oportunidades indizíveis, assim como

[27] Hoje, ser hospitaleiro automaticamente envolve toda a família; por esse motivo, o líder espiritual precisa ter uma esposa e uma família com a mesma disposição. Note também que há fases na vida em que a família talvez tenha menos possibilidade de praticar a hospitalidade, por exemplo, com crianças pequenas, doença, dificuldades financeiras ou pais idosos em casa. É preciso ter sabedoria e sensibilidade para manter o equilíbrio na família e no ministério.

alguns acolheram anjos (Hebreus 13:2; Lucas 14:12-14; Tiago 1:27).[28]

6. A hospitalidade serve de prática para o contentamento (1Pedro 4:9).
7. A prática da hospitalidade desenvolve o altruísmo (3João 5-10).
8. Uma família que pratica a hospitalidade deixará seu legado na vida de seus membros; na época de Paulo, ter sido uma mulher hospitaleira era um pré-requisito para que as viúvas passassem a receber apoio da igreja (1Timóteo 5:10).

Conclusão

Assim como os testes *antidoping* não são infalíveis, é bem possível alguém fingir ser hospitaleiro mesmo não sendo; também lhe podem faltar outras qualidades de caráter do homem de Deus. Normalmente esse atributo reflete um caráter verdadeiramente cristão, ou seja, a vida de Cristo, que é uma vida centrada nos demais. Que a vida de Cristo seja cada vez mais manifesta em nós por meio de uma atitude verdadeiramente hospitaleira.

[28] A ideia de que alguns (Abraão e Sara) entretiveram anjos não é tanto que nossa hospitalidade talvez seja praticada para com mensageiros celestiais, mas a ideia do benefício inesperado que retorna ao anfitrião pela prática do amor hospitaleiro. Como diz Eclesiastes, *Lança o teu pão sobre as águas, porque depois de muitos dias o acharás* (Eclesiastes 11.1).

PERGUNTAS PARA GRUPOS PEQUENOS

1. A hospitalidade engloba muitas atividades em que alguém abre seu lar e/ou disponibiliza seus bens para ministrar a outros. A essência de ser hospitaleiro é demonstrar bondade aos estrangeiros. Quais são alguns exemplos das diversas maneiras pelas quais a hospitalidade pode ser praticada hoje?
2. O que é preciso mudar no seu coração ou na sua família para que vocês estejam mais dispostos a exercer essa qualidade? Vocês são transparentes ao praticar a hospitalidade?
3. Qual é o "estilo" de hospitalidade mais natural para você e a sua família? (Ex.: oferecer refeições; hospedar para dormir; levar alguém para comer fora; abrir a casa para encontros e reuniões de grupos.)

Orem uns pelos outros para que a vida "outrocêntrica" de Jesus seja cada vez mais manifesta na vida de cada um.

6

APTO PARA
ENSINAR

"Deus não me chamou para ser professor!" Se você pensa assim, pode ser que tenha razão: nem todos os homens são, ou precisam ser, "professores natos". Deus não exige que todos os homens exerçam o ministério de ensino na igreja local. O dom de ensino (Romanos 12:7; 1Coríntios 14:26) é concedido soberanamente por Deus a alguns indivíduos que são dotadas de uma capacidade sobrenatural de transmitir a verdade e ver vidas transformadas à imagem de Cristo.

Mesmo que nem todos recebam o dom do ensino, **todos os casados ou pais têm a responsabilidade bíblica de ensinar.** No mínimo podemos dizer que Deus chama homens para pastorear sua própria família, tarefa essa que inclui em grande parte o ensino. Deus também responsabiliza os homens pela preservação da sã doutrina confiada à igreja de Cristo.

Os puritanos entendiam bem o papel do homem como mentor espiritual de toda a família. Leland Ryken, em *Santos no mundo*, declara:

> Famílias não se tornam automaticamente entidades espirituais. Alguém precisa orquestrar as atividades. No pensamento puritano, o pai era essa pessoa. A

Bíblia de Genebra afirma que "os chefes de família devem ser pregadores para suas próprias famílias, para que desde o maior até o menor eles obedeçam à vontade de Deus". Outra autoridade puritana teorizou que "Deus responsabiliza o chefe da família por toda a família".[29]

Observações iniciais

1. As listas de qualidades de caráter do homem de Deus dividem-se em categorias:
   - Qualidades familiares (marido de uma só mulher, hospitaleiro, ter filhos fiéis, governar bem a casa etc.)
   - Qualidades éticas (amigo do bem, justo, piedoso etc.)
   - Qualidades doutrinárias (ser apegado à palavra fiel)
   - Qualidades ministeriais (apto para ensinar; ter poder para exortar com retidão)
2. "Apto para ensinar" parece ser uma das poucas qualificações do líder que podem estar relacionadas a um dom espiritual (o dom de ensino: Romanos 12:7; 1Coríntios 12:28,29; 14:26; Efésios 4:11). "Capaz de ensinar/doutrinar" deve ser uma característica dos homens designados para a liderança espiritual na igreja local, especificamente o presbitério e pastoreio.
3. Tomemos cuidado para não interpretar "apto para ensinar" como se isso implicasse um ministério de púlpito ou de ensino a grupos grandes. Pode muito bem referir-se ao ministério de ensino individual, discipulado, aconselhamento ou grupos pequenos. Deus chamou os homens para que sejam líderes espirituais da família e da igreja.

[29] RYKEN, Leland. *Santos no mundo: os puritanos como realmente eram*. São José dos Campos: Fiel, [s. d.], p. 98,99.

4. A tarefa de preservar a sã doutrina, dada aos homens, é tão importante que foi incluída em todas as listas principais de qualificações para a liderança espiritual na igreja, embora com um foco um pouco diferente em cada texto. Tito 1:9 diz que o líder deve ser: *apegado à palavra fiel, que é segundo a doutrina, de modo que tenha poder tanto para exortar pelo reto ensino como para convencer os que o contradizem.* Falando sobre as qualificações dos diáconos, Paulo diz que devem conservar *o mistério da fé com a consciência limpa* (1Timóteo 3:9).

Qualidade de caráter: "Apto para ensinar" (1Timóteo 3.2)

"Conservando o mistério da fé com a consciência limpa" (1Timóteo 3.9); "apegado à palavra fiel, que é segundo a doutrina, de modo que tenha poder tanto para exortar pelo reto ensino como para convencer os que o contradizem" (Tito 1.9).

Termo e significado:

O termo grego διδακτικόν (*didaktikon*) está relacionado à palavra "didático", ou seja, "apto para ensinar", "perito no ensino", "habilidoso em transmitir com clareza ensinamentos divinos". O termo só se encontra em um outro texto, 2Timóteo 2.24,25 (*Ora, é necessário que o servo do Senhor não viva a contender, e sim deve ser brando para com todos,* ***apto para instruir****, paciente, disciplinando com mansidão os que se opõem...*). Com relação aos líderes espirituais (aqueles encarregados da supervisão espiritual da igreja), o termo talvez implique o dom do ensino. Os textos de 1Timóteo 3.9 e Tito 1.9 focalizam mais a preservação da sã doutrina contra os ataques de hereges (já presentes no primeiro século e numerosos hoje). O homem de Deus tem a responsabilidade de ser guardião da "palavra fiel" (Tito 1.9) justamente para poder ensinar, exortar e refutar os opositores.

O homem de Deus e o ensino em casa

A responsabilidade: Mais uma vez, o lar é o primeiro lugar no qual o homem de Deus exerce a função de professor. Novamente o ambiente de casa serve de "peneira", ou ferramenta, para ajudar a identificar o homem fiel no ensino do pequeno rebanho familiar, que em última instância poderá qualificar-se para ensinar o rebanho da igreja.

1. **O homem como "professor" da esposa.** O texto de 1Coríntios 14 é polêmico sobre ordem no culto e sobre o silêncio da mulher na igreja (v. tb. 1Timóteo 2:11-15). Os versículos 34 e 35 claramente ensinam que o marido tem a responsabilidade e a obrigação divina de mentorear (discipular, ensinar) sua própria mulher.

O casal deve ter intimidade para compartilhar juntos e crescer mutuamente, preocupando-se com o bem-estar espiritual e emocional de ambos. Para tanto, o marido, em primeiro lugar, deve conhecer a palavra e saber aplicá-la a cada situação.

> **Pense**
>
> Você se considera o líder espiritual da sua mulher?

2. **O pai como "professor" dos filhos.** O texto de Deuteronômio 6:4-9 responsabiliza o pai pela instrução espiritual dos filhos. Embora ele possa delegar alguns aspectos da educação dos filhos à esposa, em última análise ele é quem prestará contas sobre o ensino espiritual dado em casa. Esse ensino certamente inclui áreas intelectuais, vocacionais, materiais, entre outras. Nas palavras de Cotton Mather:

> [...] é o conhecimento da religião cristã que os pais devem transmitir aos filhos [...] O conhecimento de outras coisas [...] nossos filhos podem encontrar alegria eterna sem alcançar [...] Mas o conhecimento

[...] das palavras do Senhor Jesus Cristo é um milhão de vezes mais necessário para eles.[30]

Pense

Você está desempenhando o seu papel como "sacerdote do lar"? Em outras palavras, lidera os seus filhos no estudo da palavra de Deus? Encoraja-os a dedicar tempo diário na palavra? É exemplo na busca por Deus? Proporciona momentos de culto em casa que sejam relevantes?

O homem de Deus e o ensino na igreja

A responsabilidade: A aptidão para ensinar não é um pré-requisito dos diáconos, que aparentemente estavam mais envolvidos na ministração às necessidades práticas e diárias dos membros da igreja do que no ensino.[31] Os presbíteros, por sua vez, precisavam estar ativamente envolvidos na propagação do verdadeiro evangelho e na refutação de "outros" evangelhos. Mal havia sido removida a pedra do túmulo de Jesus, e falsos mestres já estavam semeando heresias no primeiro século (cf. 1Timóteo 1:4).

Paulo define ainda melhor o que tem em mente, ao escrever no texto paralelo que esse homem deve ser *apegado à palavra fiel, que é segundo a doutrina, de modo que tenha poder tanto para exortar pelo reto ensino como para convencer os que o contradizem* (Tito 1:9).

Há três aspectos nesse ensino:

1. **Deleitar-se na palavra** (*apegado à palavra fiel*; v. 1Pedro 2:2).

---

[30] Ryken, Leland. *Santos no mundo*, p. 80.

[31] Mesmo assim, note que os diáconos também "conservam o mistério da fé com a consciência limpa" (1Timóteo 3.9) — aparente referência à responsabilidade de guardar a fé uma vez entregue aos santos.

2. **Doutrinar** (*de modo que tenha poder tanto para exortar pelo reto ensino*). Capacidade de exortar pelo ensino do verdadeiro evangelho faz parte do caráter desse homem.
3. **Defender** (*como para convencer os que o contradizem*). Refere-se à capacidade de enfrentar e refutar os "outros" evangelhos, defendendo o evangelho contra os opositores.

Leia 2Timóteo 2.23-25. Esse texto é particularmente significativo, pois a ideia de ser "apto para ensinar" está cercada de descrições do caráter do homem de Deus. Ele *não vive* [...] *a contender, e sim deve ser brando para com todos, apto para instruir, paciente, disciplinando com mansidão os que se opõem, na expectativa de que Deus lhes conceda não só o arrependimento para conhecerem plenamente a verdade...*

Pré-requisitos para ser apto para o ensino

1. **Um coração ensinável/humilde.** Para poder ensinar, é necessário primeiramente aprender. O homem de Deus não pode ser um sabe-tudo.
2. **Estudo.** Gostando ou não, a tarefa de ensinar em casa e na igreja requer um compromisso sério de estudar e obter crescimento pessoal.
3. **Tempo e disciplina.** Para desempenhar o ministério de ensino em casa e na igreja é preciso dedicar tempo. Exige paciência, autodisciplina e um compromisso de longo prazo. Precisamos clamar a Deus por força e disciplina a fim de sermos mestres em casa, promovendo o crescimento espiritual da família.
4. **Coração focado.** O pai-pastor não se contenta com o comportamento externo, mas com o coração e o destino eterno das pessoas sob seu cuidado. Sua atitude ultrapassa questões superficiais e serve-se da palavra de Deus para discernir pensamentos e motivações do coração (Hebreus 4.12; cf. Provérbios 20.5).

Aplicações

1. Levo a sério a responsabilidade como líder espiritual da minha casa?
2. Compartilho com a minha esposa, de forma espontânea e intencional, o que estou aprendendo das Escrituras?
3. Existem hábitos na nossa casa que estão minando oportunidades de instrução espiritual? Perdemos o controle dos nossos horários a ponto de não acharmos mais tempo para a leitura das Escrituras? A televisão, a internet, o telefone ou os estudos ocupam o primeiro lugar?
4. Sou um aprendiz humilde ou um sabe-tudo? Tenho fome de crescer espiritualmente? Aproveito as oportunidades que Deus me dá para ler e estudar a palavra dele?
5. Sou uma pessoa apegada à palavra?
6. Sou paciente, manso e brando no ensino? Evito contendas fúteis? Ou procuro discussões que preciso ganhar a qualquer custo?
7. Mantenho o equilíbrio entre firmeza doutrinária e mansidão como aprendiz?
8. Sou um praticante da palavra, de modo que não sofra um *maior juízo* (Tiago 3:1)?

PERGUNTAS PARA GRUPOS PEQUENOS

1. Quais obstáculos apresentam mais dificuldade para você na instrução espiritual da sua esposa e dos seus filhos?
2. Por que nós, como pais, nos esforçamos tanto para garantir que os nossos filhos recebam a melhor instrução acadêmica, atlética, musical, mas somos tão negligentes em seu treinamento espiritual?
3. Quais passos práticos você pode tomar para desempenhar com mais eficácia a responsabilidade da instrução espiritual da sua casa?

Para refletir e discutir: Até que ponto o homem pode delegar a direção das atividades espirituais de casa (culto, oração conjugal, orientação) à esposa?

Orem pelo desempenho uns dos outros como líderes espirituais do lar e da igreja.

7

NÃO DADO
AO VINHO

No Brasil, quase 70 milhões de homens e mulheres bebem. Desses, a maioria esmagadora é de homens, embora o abuso do álcool entre mulheres cresça mais rápido do que entre os homens. Conforme a reportagem "A boia da prevenção" 22 milhões de homens abusam do álcool e 12 milhões são alcoólatras, dados que representam um aumento de 30% com relação à década de 1990.[32]

Mas a preocupação recente dos pesquisadores em relação a esse problema tão antigo focaliza não aqueles que habitualmente abusam do álcool, mas outro grupo chamado de "bebedores de risco". Esse grupo consiste em 30 milhões de brasileiros que:

> [...] mantêm uma relação tranquila com a bebida. Vez por outra, cometem alguns deslizes, mas nada que desperte muita atenção ou faça soar o alarme de que um hábito agradável começa a degenerar em vício [...]. Pergunte a um bebedor de risco como é sua relação com o álcool e ele certamente dirá que bebe apenas socialmente. Mas o limite que separa esse

---

[32] Lopes, Adriana Dias; Magalhães, Naiara. *A boia da prevenção*. In: *Veja.com*, ed. 2.129, 9 set. 2009. Acesso em 13 de março de 2013.

> tipo de bebedor do abismo é muito tênue. Metade deles está à beira do alcoolismo.[33]

Uma pesquisa da Associação Brasileira de Psiquiatria aponta que 60% dos acidentes de trânsito têm como desencadeador o uso do álcool, e que o álcool aparece em 70% dos laudos cadavéricos de mortes violentas.[34]

"Beber ou não beber?" Essa *não* é a única questão relevante quando se trata da qualificação do líder espiritual e das características do homem de Deus. A questão da bebida é um dos assuntos mais polêmicos das Escrituras e muitas vezes envolve fortes emoções. Por um lado, existem aqueles que já presenciaram (ou experimentaram) os efeitos trágicos e devastadores da bebida. Por outro, temos os defensores da sã doutrina que temem o legalismo cego que pode distorcer as Escrituras e em seu nome proibir todo e qualquer uso do álcool.

É preciso ter sabedoria para tratar da questão da bebida, por meio de sensibilidade, equilíbrio e bom senso bíblico, a fim de não cair no erro nem do legalismo nem da libertinagem.

OBSERVAÇÕES INICIAIS

1. Mais uma vez, trata-se de uma qualificação suficientemente importante para ser incluída *quatro vezes* nas listas bíblicas de caráter irrepreensível: em ambas as listas principais — que são o foco deste estudo — de qualidades da liderança espiritual na igreja, na lista de qualificações para diáconos e, além disso, na descrição de caráter das mulheres idosas e idôneas (Tito 2:3)!
2. Essa qualificação seria de particular importância no contexto de Éfeso, para onde se dirigiria Timóteo,

[33] Idem.

[34] ASSOCIAÇÃO BRASILEIRA DE PSIQUIATRIA. *Abuso e dependência do álcool*. Disponível em: <http://www.projetodiretrizes.org.br/projeto_diretrizes/002.pdf>. Acesso em 13 de março de 2013.

devido à influência de ritos e cultos locais a Dionísio (deus do vinho, das festas, do lazer e do prazer).

3. "Não dado ao vinho" representa um estilo de vida do homem de Deus em que nada desvia sua atenção e foco da palavra e do reino de Deus. O álcool é apenas uma das influências (ídolos) que podem ofuscar a visão e o juízo espirituais de uma pessoa.
4. "Não dado ao vinho", como os outros itens desta "peneira paulina" para a liderança da igreja local, trata-se não somente do comportamento exterior do homem, mas de seu coração. É uma questão sobre quem, ou o quê, controla seus pensamentos e ações; ou seja, os "vícios" ou "ídolos do coração" (v. Ezequiel 14:1-7) que se manifestam em seu comportamento.
5. Em consonância com o primeiro mandamento ("Não terás outros deuses diante de mim"), o homem de Deus não permite concorrentes em sua vida. Ele é um homem controlado pelo Espírito Santo de Deus (Efésios 5:18), não por forças externas.
6. Veja o seguinte resumo do ensino das Escrituras quanto à bebida alcoólica:

> O vinho era geralmente encarado como uma bênção (Gênesis 27.28; Deuteronômio 7.13) que alegra o coração (Salmos 104.15; cf. Eclesiastes 10.19), alivia a dor (1Timóteo 5.23) e espanta a miséria pelo esquecimento (Provérbios 31.6). Mas um coração alegre pode levar a uma mente ofuscada (Oseias 4.11), irresponsabilidade (Provérbios 31.4), descuido diante de perigos (2Samuel 13.28), manipulação (Gênesis 19.32-35; Ester 5.4-10; 7.2). Os sábios são aconselhados a evitar bebida forte (Provérbios 23.29-31) e a distanciar-se daqueles que "curtem" a bebida (Provérbios 23.20,21). Os reis devem abster-se do álcool, para não perverter a justiça (Provérbios 31.4,5); os bispos e diáconos devem ser sóbrios (1Timóteo 3.3,8), provavelmente devido à exigência de ser sábio imposta por sua

> posição de liderança. Os sacerdotes foram proibidos de beber álcool durante o expediente sacerdotal (Levítico 10.9), e o nazireu se comprometia com a abstinência durante o período dos seus votos (Números 6.3,4,20; cf. Lucas 1.15). O uso do vinho deve ser governado pelo princípio do amor e da prioridade do reino de Deus (Romanos 14.20,21).[35]

Alguns fatores importantes que devem ser considerados antes de se tomar a decisão de "beber ou não beber" incluem:

1. O testemunho do homem de Deus em casa, na comunidade e na igreja.
2. A presença ou não de "irmãos mais fracos" na comunidade cristã (v. 1Coríntios 8–10; Romanos 14:20,21) que poderiam ficar escandalizados e tentados a violar sua própria consciência.
3. Definições de "vinho e bebida forte". (Há muito debate sobre as diferenças entre as bebidas alcoólicas de hoje e as dos tempos antigos. Por exemplo, existe a grande probabilidade de que a proporção de álcool do vinho fosse menor no mundo antigo do que atualmente. Portanto, muitas bebidas poderiam ser consideradas "bebida forte", que é proibida pelas Escrituras.)
4. Tendências e histórico familiar: uma família com história de alcoolismo e o risco de outros serem seduzidos pelo álcool a ponto de se tornar alcoólatras.

Qualidade de caráter: "não dado ao vinho"

Textos: 1Timóteo 3.3,8 (Tito 1.7; 2.3)

Termo e significado

Podemos analisar os textos que apresentam a qualificação "não dado ao vinho" a partir de três aspectos principais:

[35] Adaptado do Harper's Bible Dictionary.

1. SER COMPANHEIRO DO VINHO

Os dois principais textos (1Timóteo 3:3 e Tito 1:7) usam um termo original que significa, literalmente, "não ao lado do vinho" ou, em outras palavras, alguém que não é "companheiro", aliado, amigo do álcool.[36] Provérbios 23:20,21 ecoa a mesma ideia: *Não estejas entre os bebedores de vinho* [...]. *Porque o beberrão e o comilão caem em pobreza.*

2. TER UM COMPROMISSO COM O VINHO

Tratando-se dos diáconos, a frase muda um pouco: *não inclinados a muito vinho* (1Timóteo 3:8).[37] Essa exigência refere-se à quantidade e ao equilíbrio; em outras palavras, saber parar na hora certa e não ter o coração voltado para a bebida. O termo traduzido por "inclinado" traz a ideia de prestar atenção exagerada, ocupar-se com, apegar-se a.[38] Provérbios 23:31,32 diz: *Não olhes para o vinho, quando se mostra vermelho, quando resplandece no copo e se escoa suavemente. Pois ao cabo morderá como a cobra e picará como o basilisco.* A ênfase parece estar em uma lealdade dividida. O homem de Deus não pode assumir o compromisso com o vinho e ao mesmo tempo manter suas responsabilidades como líder da igreja, da família ou da comunidade.

3. CAIR SOB O CONTROLE DO VINHO

Um texto relacionado ao tema e que trata das mulheres "idosas", ou seja, mais velhas e dignas (Tito 2:3), exige que não sejam escravizadas a (dominadas por) muito vinho.[39] A proibição trata de o cristão ser controlado por fatores externos que competem com o Espírito Santo na direção de seus pensamentos e ações (Efésios 5:18).

[36] μὴ πάροινον – *me paroinon* = "não dado ao vinho".

[37] μή οἴνῳ πολλῷ προσέχοντᾶ – *mē oinō pollō prosechontas.*

[38] *A Greek-English Lexicon of the New Testament and Other Early Christian Literature,* 3a ed. Chicago: The University of Chicago Press, 2001, p. 714.

[39] μή οἴνῳ πολλῷ δεδουλωμένᾶ – *mē oinō pollō dedoulōmenas* – "não escravizadas a muito vinho".

As três frases referem-se a uma pessoa "que bebe demais e habitualmente, por isso se torna um bêbedo".[40] Mas fica evidente que os termos referem-se a muito mais do que à dependência ao álcool. O homem dependente de qualquer substância, coisa ou pessoa demonstra falta de autocontrole ou, melhor, ausência do controle do Espírito. O homem de Deus precisa ter uma mente atenta e alerta, não dividida nem ofuscada!

O homem de Deus e os vícios

A carta de Efésios, que foi escrita à igreja de Éfeso, onde Timóteo tinha a tarefa de eleger os presbíteros (v. 1Timóteo 1:3), esclarece o que Paulo tinha em mente com a proibição "não dado ao vinho": *E não vos embriagueis com vinho, no qual há dissolução, mas enchei-vos do Espírito* (5:18). O cristão não deve ser "controlado" por qualquer outro fator em sua vida a não ser o Espírito de Deus. O que passa disso constitui idolatria.

"Dissolução" nesse texto inclui a ideia de caos, abandono, uma vida fora de controle. Qualquer elemento que promova este tipo de comportamento acaba nos controlando por falta de resistência! É o paradoxo da libertinagem — somos dominados pelo que cremos dominar. A aplicação deste princípio vai muito além do uso de drogas ou álcool, embora esses dois elementos, aliados aos vícios sexuais (tratados em Timóteo), sejam os mais degenerativos dos ídolos do coração.

Qualquer coisa que nos distraia a ponto de perdermos a lucidez espiritual, o foco no propósito divino para a vida ou o bom uso do tempo, leva-nos a uma vida desregrada e fora do controle do Espírito Santo.

Em vez disso, o homem de Deus é controlado pelo Espírito Santo de Deus. Seus pensamentos, ações e motivações na vida não são o resultado de prazeres externos, mas do Espírito que nele habita. Na esfera do coração, esse homem

[40] Louw, J. P.; Nida, E. A. *Greek-English Lexicon of the New Testament: Based on Semantic Domains*. New York: United Bible Societies, 1996, c1989 (Electronic ed. of the 2nd edition).

é cutucado, direcionado, impulsionado e disciplinado pelo Espírito de Deus e pela ministração da palavra (Efésios 5:18; Colossenses 3:16).

O homem de Deus e a idolatria

A tendência do coração humano é para a *idolatria* (Ezequiel 14:1-7). *Todos nós somos adoradores*! E somos seduzidos por ídolos que nos corrompem e escravizam. Temos a tendência de permitir que uma ou mais áreas da nossa vida fiquem fora de controle, a ponto de nos dominar e possuir. Nesse sentido, somos possuídos por aquilo que consumimos.

O processo de libertação dos ídolos e de qualquer dependência é contínuo; requer a renovação diária da mente (Romanos 12:2) pela palavra de Deus (Colossenses 3:16), promovida pela ação do Espírito de Deus (Efésios 5:18). Um bom relacionamento de prestação de contas é um fator a ser considerado, pois um companheiro na fé pode nos ajudar a detectar áreas da nossa vida que necessitem de controle e libertação. Essa é a batalha enorme contra a carne (Gálatas 5:17; Romanos 7:18).

Devemos estar atentos à aplicação desta exigência do homem de Deus. Muito mais que a proibição da embriaguez, lembra-nos de que o nosso coração precisa ser totalmente consagrado a Cristo. Uma devoção lúcida, singular e apaixonada por ele deve caracterizar a nossa vida.

Por ser um elemento externo que consome quem o ingere, o álcool precisa estar na lista de elementos de risco, ao passo que a mente, o corpo e o coração devem ser controlados pelo Espírito Santo, *trazendo cativo todo pensamento à obediência de Cristo* (2Coríntios 10:5) *pela renovação da mente* (Romanos 12:2), pelo poder da palavra (Colossenses 3:16) e pelo controle do Espírito (Efésios 5:18).

Conclusão

Embora tudo que Deus criou seja bom (1Timóteo 4:4,5) e o cristão tenha a liberdade de desfrutar, com moderação, o que Deus criou, existem situações em que ele deve escolher *abster-se* de certas atividades por causa do perigo que representam em sua vida e para seu testemunho. É importante que ele não julgue outros que tenham opiniões diferentes sobre determinadas atividades. Como também é importante que ele seja sensível ao contexto em que vive, e que conheça a si mesmo o suficiente para tomar decisões sábias sobre atividades "duvidosas", quaisquer que sejam elas.

PERGUNTAS PARA GRUPOS PEQUENOS

1. Qual é a sua postura pessoal diante das bebidas alcoólicas? Quais as bases bíblicas para a sua decisão de beber ou não?
2. Existe algo na vida que domina os seus pensamentos? O que o controla? O que você deseja mais que o próprio Deus? O que você quer tanto que fica transtornado quando não obtém? Existe algo que altera a sua disposição de servir no reino ou de ler a palavra? Alguns exemplos são:
   - Drogas
   - Álcool
   - Trabalho
   - Comida
   - Posses
   - Reconhecimento, fama
   - Exercício físico
   - Sexo
   - Esportes
   - TV/Internet
   - Estudo
   - Entretenimento
3. Quais são alguns passos práticos que alguém deve tomar para obter vitória sobre qualquer tipo de dependência? O que aconteceria se se abstivesse disso?
4. Ira muitas vezes pode ser um indicador forte de ídolos (vícios) no nosso coração, áreas dominadas por fatores externos que são importantes demais para nós. O que nos deixa irados? Quais "direitos" defendemos ao ponto de ficarmos com raiva quando são bloqueados? Será que isso revela um vício em sua vida?

A Pergunta Chave: O que me controla (domina, preocupa, escraviza) mais do que o Espírito Santo de Deus e a Palavra de Deus?

8

NÃO VIOLENTO,

PORÉM CORDATO

A violência contra outro ser humano é uma tragédia e ofensa contra Deus, que nos criou à sua própria imagem. Mas a tragédia maior se dá quando a violência é praticada no contexto do lar, por pessoas chamadas por Deus para proteger, não para prejudicar o outro.

Considere a epidemia da violência doméstica que caracteriza os nossos dias:

- Seis em cada dez brasileiros conhecem alguma mulher que foi vítima de violência doméstica. O alcoolismo (31%) é apontado como o principal fator que contribui para a violência.
- Uma em cada cinco mulheres considera já ter sofrido "algum tipo de violência por parte de algum homem, conhecido ou desconhecido". O parceiro (marido ou namorado) é o responsável por mais de 80% dos casos relatados.[41]
- Segundo dados divulgados em 2012 pela Secretaria de Direitos Humanos (SDH) da Presidência da República, ocorreram por mês 10:940 agressões contra crianças

[41] Disponível em: http://www.agenciapatriciagalvao.org.br/index.php?option=com_content&id=1975. Acesso em 19 de janeiro de 2015. Dados de 2012.

e adolescentes, o que dá uma média de 364 denúncias por dia no país.[42]

A violência no mundo começou logo após a entrada do pecado no jardim do Éden, quando Caim matou o próprio irmão por inveja (Gênesis 4). Um pouco antes disso, Adão já havia praticado violência contra Eva quando a culpou pela entrada do pecado na raça humana. Em vez de assumir a culpa (que realmente era dele, como líder da raça e protetor do jardim) e proteger a esposa, Adão escolheu o caminho mais fácil. Para salvar a própria pele, Adão apontou a mulher como a responsável por comer o fruto proibido, e consequentemente pelo pecado cometido, condenando-a a uma "morte" fulminante por parte de Deus! Imagine o que teria passado pela cabeça de Eva quando ela e Adão se apresentaram diante de um Criador santo. O marido — que havia se encantado com a mulher então criada e que fora chamado por Deus para protegê-la e prover suas necessidades — de repente se vira *contra* ela e dá início à sua morte! Uma tragédia. A destruição do plano perfeito de Deus para a família!

Deus chamou os homens para que sejam *protetores*, não *predadores*; *defensores*, não *destruidores*. Devemos usar a força não em benefício próprio, mas na defesa dos mais fracos.

NÃO HÁ TRAGÉDIA MAIOR DO QUE SER FERIDO POR QUEM DEVIA NOS PROTEGER.

VIOLÊNCIA COMO EXPRESSÃO DE IRA

Você consegue lembrar-se de uma situação em que realmente ficou enfurecido? Como expressou a sua ira? Lembra-se

[42] Violência contra crianças e jovens atinge 120 mil casos em 2012. Disponível em: http://noticias.terra.com.br/brasil/violencia-contra-criancas-e-jovens-atinge-120-mil-casos-em-2012,5c178cebbfdcb310VgnCLD2000000ec6eb0aRCRD.html. Acesso em 28 de dezembro de 2012 e 19 de janeiro de 2015.

de um momento em que "explodiu" e depois se sentiu profundamente envergonhado? Ou de uma ocasião em que a ira prejudicou um relacionamento ou machucou outra pessoa? Além de situações comuns em casa, pense nas situações que seguem:

- Você levou uma canelada em uma partida de futebol
- Um motorista imprudente quase bateu no seu carro
- Um conserto que iria levar alguns minutos passou de uma hora
- Um amigo traiu a sua confiança
- Alguém quebrou uma promessa
- Você foi roubado por um empregado
- Você foi injustiçado pelo patrão

Esta é uma área em que muitos de nós enfrentamos grandes lutas. A ira que culmina em atos de violência (contra pessoas ou objetos) revela um espírito que ainda não está sob o domínio do Espírito Santo (Provérbios 16:32). No mesmo patamar da tentação sexual, esta área constitui uma das maiores ameaças à presença de Jesus no homem de Deus.

As próximas qualificações que vamos estudar são como dois lados da mesma moeda. Primeiro, uma qualidade descrita negativamente: "não violento". Seguida por sua manifestação positiva: "porém cordato". Essas qualidades ficaram evidentes na vida de Jesus, que personificou o que é ser um homem de verdade.

Negativo	**Positivo**
Não violento	Porém cordato
(-)	(+)

Qualidade de caráter: "não violento, porém cordato"

Textos: 1Timóteo 3.3; Tito 1.7; 3.2; 2Timóteo 2.23,24

Termo e significado

As palavras "violento" e "cordato" são como dois polos de um mesmo conceito. "Violento" é o oposto de "cordato".[43]

"Violento"[44] é um termo usado no NT somente no texto paralelo de Tito 1:7. Deriva-se de um verbo que significa "bater", por isso alguns traduzem a frase literalmente: "Alguém que não bate". O homem de Deus não vive com os nervos à flor da pele a ponto de querer resolver seus assuntos com o próprio punho, nem é dado a atos de violência ou ira quando se frustra por qualquer coisa.

"Cordato"[45] encontra-se em vários textos (Filipenses 4:5; Tito 3:2; Tiago 3:17; 1Pedro 2:18; Atos 24:4; 2Coríntios 10:1). Transmite a ideia de alguém que é manso e sensível aos sentimentos de outros e que tem uma perseverança paciente. Um sinônimo[46] descreve o "servo de Deus" como alguém que evita *questões insensatas e absurdas* e que é: [...] *brando para com todos, apto para instruir, paciente, disciplinando com mansidão os que se opõem*... (2Timóteo 2:23-25).

Jesus e a masculinidade bíblica. De forma única, Jesus encarnou essas qualidades de caráter e varonilidade. Ele era cordato, mas nada nele podia ser chamado de efeminado. Como carpinteiro naqueles dias, suas mãos e seus braços foram forjados por anos de trabalho duro, sem o benefício de ferramentas industriais modernas. É interessante notar que os inimigos de Jesus esforçaram-se para agarrá-lo pela força. Quando virou as mesas dos cambistas no templo, no entanto, ninguém o impediu. Quando a multidão queria apedrejá-lo, passou pelo meio deles sem ninguém levantar um dedo para agarrá-lo. Ninguém ousava tocar em Jesus, a não ser quando tinham a escolta de um bando de soldados armados.

Jesus era forte, mas era cordial, amável. As Escrituras citam a profecia de Isaías sobre Jesus: *Não contenderá, nem gritará, nem alguém ouvirá nas praças a sua voz. Não*

[43] μὴ πλήκτην ἀλλα ἐπιεικῆ

[44] πλήκτην

[45] ἐπιεικῆ

[46] ἤπιον

esmagará a cana quebrada, nem apagará a torcida que fumega, até que faça vencedor o juízo (Mateus 12:19,20; cf. Isaías 42:1-4; 1Pedro 2:23).

Esse tipo de mansidão implica força, mas força sob controle e prudência. É o punho de ferro em luva de pelica. Em Mateus 11:29 lemos uma descrição de Jesus como *manso e humilde de coração* (cf. Mateus 21:5). Note que essa descrição vem exatamente antes de Jesus desafiar os fariseus, os líderes poderosos e estabelecidos de sua época (Mateus 12:22-37).

Paulo descreve Jesus como manso e benigno em 2Coríntios 10:1: *vos rogo, pela mansidão e benignidade de Cristo*... A mansidão é fruto produzido pelo Espírito, ao passo que a violência (*inimizades, porfias, ciúmes, iras, discórdias, dissensões, facções, invejas*) é característica da carne (Gálatas 5:19-23).

Ira e mansidão são opostas. Não significa que o homem "cordato" seja um capacho, mas que ele é sensato em defender os próprios direitos, mas rápido em defender os direitos de outros. Esse foi o equilíbrio que Jesus alcançou. Ele "deu a face" a seus antagonistas ao mesmo tempo em que atacava rigorosamente os que exploravam os fracos e inocentes.

Como qualidade de caráter do líder espiritual, é essencial ter um espírito pacificador, não briguento. O homem de Deus precisa guardar o coração e o espírito mesmo em meio a ataques hostis; suas convicções devem ser defendidas de forma apropriada; assim como ele deve saber discordar sem ser desagradável.

O homem de Deus e a ira

A ira do homem não produz a justiça de Deus (Tiago 1:19,20); pelo contrário, cria uma brecha para o diabo atuar (Efésios 4:27), uma oportunidade para arruinar as nossas vidas, os nossos relacionamentos e o nosso testemunho. O que está por trás da ira? Podemos citar:

1. ÍDOLOS que tenho no coração, que desejo e aos quais sirvo mais do que desejo e sirvo a Deus (Ezequiel 14:1-5). Quando são expostos e ameaçados, fico irado.

2. DIREITOS que creio ter e merecer (Filipenses 2:3-8). Quando são retirados de mim, sinto ter sofrido uma grande injustiça, o que me leva a ficar irado.
3. DESEJOS que oculto, como sonhos, esperanças e expectativas (Tiago 4:1-5). Fazem com que eu lute para conseguir realizá-los e que fique bravo quando são bloqueados.

Em todos esses casos, a raiz da ira é o egoísmo, a paixão desenfreada para gratificar o eu, custe o que custar.

Conclusão

Cristo em nós (cf. Colossenses 1:27) é a chave para a verdadeira masculinidade bíblica, que se expressa numa vida de humildade e dependência diária daquele que realmente era manso e humilde. Todas as pessoas que lutam com a ira precisam clamar a Deus por misericórdia e graça para que Jesus impregne em nós sua vida forte, cordata e mansa.

Dificilmente seremos cordatos e mansos quando somos consumidos pela paixão de satisfazer nossos desejos ou defender nossos "direitos". A seguir, apresentamos algumas situações típicas para reflexão. Qual seria a sua reação diante de cada uma delas? Depois imagine como Jesus teria reagido em cada instância. Responda, finalmente, se você é um homem violento e irascível, ou manso e cordato.

Imagine que

- ... seus filhos começam a brigar sobre a que programa de TV vão assistir e acabam acordando você de uma soneca gostosa.
- ... você abre um *e-mail* por engano e um vírus corrompe todos os arquivos do seu computador.
- ... você precisa chegar à igreja em 15 minutos, mas a sua filha adolescente ainda está no banheiro se preparando para o culto.

"Não violento, porém cordato" aponta para a necessidade que temos de depender constantemente de Cristo para que suas características se reflitam em nossa vida. "Senhor, tem misericórdia de mim, um pecador!"

PERGUNTAS PARA GRUPOS PEQUENOS

1. Com quais das situações acima você mais se identifica? O que em geral deixa você irado? Quais dos seus "direitos", quando violados, tendem a deixá-lo bravo, tentado a ser violento e não cordato?
2. Você é uma pessoa cordata? Quais grupos teriam *menos* probabilidade de caracterizar você como uma pessoa mansa:
    - Filhos
    - Esposa
    - Vizinhos
    - Colegas de trabalho ou amigos
    - Motoristas no trânsito
    - Competidores em uma modalidade esportiva
    - Membros da igreja
    - Atendentes em geral

Orem uns pelos outros para que sejam homens não violentos, porém cordatos.

9

INIMIGO
DE CONTENDAS

Conta-se a história de um motorista que teve o pneu do carro furado no meio da noite, numa estrada deserta e escura. Ele ficou chateado quando descobriu que o macaco havia sumido e não tinha como trocar o pneu. À distância, percebeu uma luzinha acesa na entrada de uma fazenda. Resolveu pedir socorro.

À medida que caminhava, porém, imaginava o diálogo que poderia surgir quando acordasse o fazendeiro e sua família. Quanto mais perto chegava, mais perplexo ficava, pensando na indignação do homem ao ser acordado, seu aborrecimento porque um motorista irresponsável havia saído para uma viagem longa sem macaco no carro, e assim por diante. Sentiu-se envergonhado, frustrado e irritado.

Finalmente, depois de bater palmas durante alguns minutos na varanda da casa do fazendeiro, este apareceu à porta e simplesmente disse:

— Pois sim!

Mas o motorista gritou:

— Pode ficar com seu macaco velho! — virou-se e foi embora, deixando o fazendeiro confuso, coçando a cabeça...

"Inimigo de contendas" descreve uma qualidade *essencial* do caráter do homem de Deus. Alguns talvez pensem: "Não sou uma pessoa complicada; nunca bati em ninguém. Não grito nem falo mal de ninguém. Nunca fui violento nem briguento." Ainda assim, é preciso sondar o coração para detectar áreas nas quais em geral somos tentados a ser contenciosos.

Muitas vezes uma natureza contenciosa revela-se em situações de anonimato, quando ninguém está olhando: no trânsito, longe de casa, em lugares onde não somos conhecidos. Um espírito contencioso manifesta-se em primeiro lugar no pensamento. Com frequência o medo da opinião alheia leva-nos a não manifestar um sentimento de ira. No entanto, isso nos fará viver um drama interior de conflito, tensão, diálogos imaginados, desejos de vingança.

Contendas como expressão de ira

A pessoa briguenta ou contenciosa revela um coração descontente, egoísta e colérico. Como já sabemos, a ira é uma área em que muitos de nós, homens, enfrentamos grandes lutas. Trata-se de um "monstro" escondido nos cantos remotos e escuros da nossa vida, e que aparece nos momentos em que menos esperamos. Pessoas com "nervos à flor da pele" estão sempre à procura de uma briga. O homem de Deus não vive assim, mas foge de conflitos desnecessários. Em outras palavras, é inimigo de contendas.

Qualidade de caráter: "inimigo de contendas"; "não irascível"

Textos: 1Timóteo 3.3; Tito 1.7
(cf. Tito 3.2,9; 2Timóteo 2.23,24; Tiago 4.1-3; Tito 3.9)

Termo e significado

Há dois termos nas listas de qualidades de caráter do homem de Deus que o caracterizam como "inimigo de contendas". O primeiro vem de uma palavra original que significa "não dado a brigar, não briguento".[47] Alguns sugerem

[47] ἄμαχον (*amachon*). *machē* significa "luta, combate" e foi usada no contexto de guerra entre exércitos, "uma batalha". Com o prefixo negativo "a", portanto, significa: "Não dado a brigar, não briguento".

a tradução "não contencioso". A palavra descreve a pessoa que não acorda mal-humorada e que não está sempre procurando motivos para comprar uma briga. A pessoa briguenta sempre está pronta para defender o que considera ser seus direitos.

Nas versões em português, encontramos várias traduções do termo original; algumas enfatizam o sentido positivo; outras, o lado negativo: "pacífico" (NVI); "inimigo de contendas" (RA); "não contencioso" (RC).

O segundo termo funciona como sinônimo na lista paralela de Tito 1 e é traduzido por "não irascível" (RA), "não briguento" (NVI), "nem iracundo" (RC). Usado somente aqui no NT, descreve alguém de temperamento explosivo, iracundo, furioso e colérico, ou mal-humorado.[48]

Homens piedosos e especialmente líderes espirituais devem ser pacificadores, não encrenqueiros. Isto não significa que sacrificam suas convicções para manter o *status quo*, mas que conseguem discordar sem ser desnecessariamente desagradáveis. Um pavio curto não contribui para um ministério longo![49]

O oposto de ser briguento é ter um espírito quebrantado e humilde. Aqueles que estão cientes das muitas necessidades de transformação interna têm menos propensão a brigar ou discutir para obter o que desejam, ou para preservar seus direitos. Em geral, tornam-se pacificadores, mediadores do favor divino, porque reconhecem que *a ira do homem não produz a justiça de Deus* (Tiago 1:20).

A natureza contenciosa

Existem pelo menos quatro esferas em que uma natureza contenciosa e briguenta se revela, brotando primeiramente

[48] A palavra grega ὀργιλόν aparece quatro vezes na Septuaginta, tradução grega do hebraico, e foi traduzida por *colérico* (Provérbios 22.24), *furioso* (Provérbios 29.22), *homem violento* (Salmos 18.28) e *iracundo* (Provérbios 21.19) na RA.

[49] Wiersbe, Warren W. *The Bible Exposition Commentary.* Wheaton, Ill.: Victor Books, 1996, c1989. 1Timóteo 3.1

do coração e de pensamentos irados, os quais levam, em seguida, a atitudes erradas, que, por sua vez, produzem palavras duras e podem culminar em ações violentas (v. Tiago 4:1-3). Veja o diagrama a seguir:

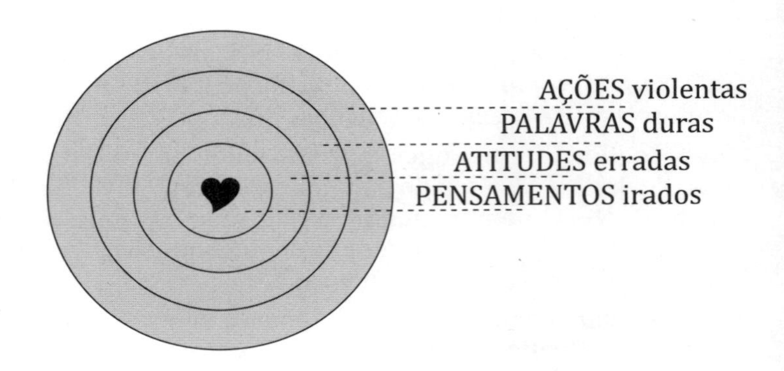

Situações que REVELAM uma natureza contenciosa (o coração):

A nossa vida é como um copo d'água. Quando sacudido, derrama o que tem dentro! Quando as circunstâncias nos afligem e alteram o nosso bem-estar, acabam revelando o que está dentro do nosso coração.

Veja alguns exemplos que revelam uma vida contenciosa e que não refletem o caráter de Cristo Jesus:

1. Em contextos sociais

A pessoa contenciosa...

- Está sempre procurando ocasião de criticar o garçom, a comida, o restaurante etc.
- É um "sabe-tudo" em conversas e contextos sociais, pois tem que provar que sempre tem razão.
- É ofensiva e briguenta em lojas, filas ou empresas, sempre reclama e acha defeitos, devolvendo a mercadoria, escrevendo cartas de reclamação ou insistindo em falar com o gerente.

- No transporte público (ônibus, metrô, avião), sempre encontra razão para reclamar ou discutir.

2. Em casa

A pessoa briguenta...

- Sempre está certa.
- Não admite o erro e sempre oferece justificativas quando criticada.
- Nunca pede perdão.
- Sempre compra brigas.
- Força as pessoas ao redor a agir com cautela para não ofendê-la, pois nunca sabem quando estará mal-humorada.

3. Na igreja e nos contextos comunitários

A pessoa conflituosa...

- Fica irada quando discute teologia ou assuntos polêmicos.
- Distancia pessoas que tenta evangelizar por ser contenciosa e arrogante (ganha o argumento, mas perde a pessoa).
- Sempre precisa ter a última palavra em classes de estudo bíblico, cultos administrativos ou reuniões de liderança.

4. Em esportes, jogos e competições

A pessoa irascível...

- É um péssimo ganhador e o pior perdedor.
- Leva a sério demais competições, jogos etc.
- Sempre se envolve em discussões sobre regras ou injustiças (reais ou imaginárias) com o árbitro ou juiz.

5. Na escola

A pessoa irritável...

- Sempre disputa notas, brigando por mais um ponto, e insiste em ter a razão.
- Reclama de tudo.
- Provoca discussões insensatas e não sabe desistir.

6. Na estrada

A pessoa geniosa...

- Sempre tem razão no volante e fala mal dos maus motoristas no trânsito.
- Vinga-se de outros motoristas que o prejudicam no trânsito.
- Grita ou faz gestos, acende o farol alto, acelera, buzina ou obstrui a ultrapassagem de outros motoristas que julga serem inconvenientes.

Assim como no caso da tentação sexual, o homem de Deus enfrenta desafios constantes na área da ira. Somente o Espírito de Deus pode produzir o equilíbrio de Jesus na vida de uma pessoa, que se reflete em uma vida forte, corajosa e que defende os mais fracos, sem ser contenciosa nem briguenta. Esse fruto do Espírito não pode ser fabricado artificialmente, mas brota de raízes profundas no solo da graça. Que seja esta vida que se manifeste em nós na próxima vez em que um pneu furado nos deixar no meio de uma estrada escura e deserta.

PERGUNTAS PARA GRUPOS PEQUENOS

1. Na sua opinião, quais são os fatores que contribuem para uma natureza briguenta?
2. Qual é a tensão entre ser pacificador e covarde (aquele que foge da confrontação)?
3. Das esferas de ira ilustradas neste capítulo, qual apresenta mais dificuldade para você: pensamentos, atitudes, palavras ou ações?
4. Das situações expostas, qual é a área em que você é mais tentado a ser briguento?

Orem uns pelos outros para que vocês provem a vida de Jesus, o único capaz de não ser contencioso em todas as esferas da existência.

10

NÃO
AVARENTO

Uma história famosa do grande autor Liev Tolstoi, chamada *De quanta terra precisa o homem?*,[50] conta como um homem pobre tornou-se dono de grande propriedade. Mas a posse fez com que ele sempre buscasse mais e mais terrenos. Um dia ficou sabendo de um povo nômade que morava longe, mas que vendia propriedades grandes por preço irrisório. Tratava-se de terra fértil, plana, fácil de cultivar. O homem viajou até o local distante e perguntou sobre o preço da terra.

— Nosso preço é sempre o mesmo —, respondeu o cacique da tribo. — Mil reais por um dia.

O homem não entendeu. — Por dia? —, perguntou. — Que medida é esta? Qual é o tamanho?

— Não sabemos medir —, respondeu o cacique. — Vendemos o terreno por dia. Tudo que você conseguir demarcar com os próprios pés em um dia pertencerá a você, e o preço é mil reais o dia.

— Mas num dia você consegue cercar um lote enorme —, respondeu o homem.

[50] Resumo da história por Liev Tolstoi. *De quanta terra precisa o homem*, São Paulo: Companhia das Letras, 2009.

O cacique deu risada. — Tudo será seu —, disse. — Mas há uma condição. Se você não voltar no mesmo dia, antes de o sol se pôr, até o lugar de onde começou, perderá tudo.

Antes de o sol aparecer no horizonte no dia seguinte, o homem colocou os mil reais no chapéu que o cacique havia deixado no chão. Começou a andar, de forma compassada, não rápido, nem devagar demais. Mas, à medida que viu aquela terra fértil, começou a andar cada vez mais rápido. Num esforço de incluir um campo especialmente atraente, foi longe demais antes de colocar uma estaca no chão e começar a voltar. Debaixo de um sol ardente, tinha que correr cada vez mais rápido para não chegar atrasado. Ofegante, observava o sol se aproximando do horizonte. À distância, via o morro de onde havia começado, mas suas pernas bambas já se arrastavam no chão. Seus pulmões ardiam, o coração parecia que iria bater fora do peito. Mas via toda a tribo em cima do morro incentivando-o a continuar. Agora o sol estava tocando o horizonte, e o homem fez um último esforço para chegar ao topo do morro antes do pôr do sol.

Quando ele alcançou a base do morro, de repente ficou escuro. O sol havia se posto, e ele chegara tarde demais! "Tudo em vão", pensou. Mas foi então que percebeu que a tribo continuava gritando, e lembrou de que, lá em cima, ainda havia sol. Respirou fundo e correu para cima com a última força que restava no corpo. Em cima, viu o cacique dando risada. Engatinhando, caiu e atingiu o chapéu com a mão, mas não se mexeu mais. Estava morto. Seu servo pegou uma pá e cavou um buraco de dois metros. Era toda a terra de que o homem realmente precisava.

Quanta terra é suficiente? Quanta fama basta? Quanto dinheiro satisfaz? Em certa ocasião, perguntaram a um dos homens mais ricos do mundo de quanto ele precisaria para realmente ficar contente. Ele respondeu: "Somente mais um dólar".

Provérbios 27:20 diz: *O inferno e o abismo nunca se fartam, e os olhos do homem nunca se satisfazem.* Mesmo no paraíso, com tudo a seu dispor, Adão e Eva queriam mais!

Quem sabe por isso mesmo o último dos Dez Mandamentos parece resumir muito do que se acha nas duas tábuas da Lei, quando expõe a natureza do coração humano:

> *Não cobiçarás a casa do teu próximo. Não cobiçarás a mulher do teu próximo, nem o seu servo, nem a sua serva, nem o seu boi, nem o seu jumento, nem coisa alguma que pertença ao teu próximo* (Êxodo 20.17).

Já tratamos de duas áreas de grande tentação que derrubam muitos homens: *tentação sexual* e *ira*. Este estudo focaliza mais um tema desta lista notória: a *avareza*. O homem de Deus não pode ser amante do dinheiro. Ponto final. "O desejo pelo dinheiro não pode ser o motivo que governa a vida."[51] As Escrituras falam muito sobre dinheiro, cobiça, avareza e a maneira pela qual os bens materiais revelam o que realmente está no coração do homem. É interessante notar que em cada lista de qualificações de liderança aparece a orientação contra a avareza (1Timóteo 3:8; Tito 1:7; cf. Atos 20:33).[52]

Resumo

Qualidade de caráter: "não avarento"

Textos: 1Timóteo 3.3,8; Tito 1.7; cf. 1Pedro 5,2

As versões bíblicas em português traduzem os dois textos de 1Timóteo 3:3-8 e Tito 1:7 de várias maneiras:

- *não avarento/não cobiçoso de sórdida ganância* (RA)
- *não apegado ao dinheiro/não amigos de lucros desonestos* (NVI)
- *não avarento/não cobiçosos de torpe ganância* (RC)
- *não ter amor ao dinheiro/nem tampouco gananciosos por dinheiro* (BV)

[51] HIEBERT, D. Edmond. *First Timothy*, p. 66.
[52] FEE, Gordon D. *1 and 2 Timothy, Titus*, p. 82.

- *desinteresseiro/sem cobiçar lucros vergonhosos/ nem ávido de lucro desonesto* (BJ)
- *não deve ter ambição pelo dinheiro/nem ser gananciosos* (BLH)

Amor ao dinheiro, raiz de todos os males

> [...] *pois o amor ao dinheiro*[53] *é a raiz de todos os males. Algumas pessoas, por cobiçarem o dinheiro, desviaram-se da fé e se atormentaram com muitos sofrimentos* (1Timóteo 6.10, NVI).

Infelizmente, o homem de Deus e o líder espiritual não estão isentos desses males. O desejo por posses, riquezas, conforto e bens leva alguns a sacrificar a ética em prol de benefícios materiais. É uma das características dos últimos dias, quando os homens serão "egoístas e avarentos" (cf. 2Timóteo 3:2).

Amor ao dinheiro, termômetro do coração

O uso (ou abuso) do dinheiro é um dos indicadores mais afinados do estado do coração. Jesus deixou isso bem claro quando disse: *onde está o teu tesouro, aí estará também o teu coração* (Mateus 6:19-21). Ou: *Ninguém pode servir a dois senhores* (Mateus 6:24b) — Deus e o dinheiro —, pois representam sistemas de valores contrários.

A falta de contentamento com o que Deus dá revela um coração avarento: *Seja a vossa vida sem avareza. Contentai-vos com as coisas que tendes...* (Hebreus 13:5).

Amor ao dinheiro, tentação do ministro

Não é de surpreender o fato de que essa característica aparece várias vezes em textos que traçam o perfil do homem qualificado para funções de liderança espiritual na igreja. Uma vida apegada ao reino de Deus não pode ao mesmo tempo ser obcecada pelas coisas deste mundo. Paulo

[53] ἀφιλαργυρία - ἀ "não" φιλ -- (fil-) "amar" αργυρον (arguron) "prata, dinheiro"; *filarguria, lit.* = "amor à prata".

usa um adjetivo composto em 1Timóteo 3:3 para referir-se ao presbítero como alguém que "não é amante do dinheiro".

A ideia repete-se na lista de qualificações dos diáconos em 1Timóteo 3:8 (*não cobiçosos de sórdida ganância*) [54] e na lista paralela para presbíteros em Tito 1:7 (*nem cobiçoso de torpe ganância*).[55]

Antes de identificar o *amor* ao dinheiro (não o dinheiro em si) como raiz de todos os males, Paulo declara: *Ora, os que querem ficar ricos caem em tentação, e cilada, e em muitas concupiscências insensatas e perniciosas, as quais afogam os homens na ruína e perdição* (1Timóteo 6:9). E logo em seguida acrescenta: *Tu, porém, ó homem de Deus,* **foge destas coisas** (1Timóteo 6:11, grifo nosso).

Pedro também dá uma advertência contra a tentação do amor ao dinheiro: *pastoreai o rebanho de Deus* [...] *não por constrangimento* [...] *nem por sórdida ganância, mas de boa vontade* (1Pedro 5:2).

No contexto judaico, os fariseus eram avarentos. Ridicularizavam a ideia de que Deus e dinheiro eram senhores "inimigos" (Lucas 16:13).

Entre os efésios e as igrejas do primeiro século, havia falsos mestres que comercializavam a palavra de Deus em benefício próprio. Mounce cita um documento antigo de instrução eclesiástica, o *Didaquê,* cujas orientações contra falsos mestres incluíam a advertência: *Se ele lhe pedir dinheiro, é um falso profeta!*[56] Tais falsos mestres são aqueles que supõem que "a piedade é fonte de lucro". São os progenitores dos falsos profetas modernos que negociam o evangelho da saúde e da prosperidade, que abrem igrejas tipo *franchising*, que exploram as ovelhas e enriquecem a si mesmos (v. 1Timóteo 6:5b).[57]

[54] μὴ αἰσχροκερδεῖ (*me aischrokerdeis*): "Não ávidos por lucro" (de αἰσχρὸ, "vergonhoso", e κερδῶ, "lucro", "ganho").

[55] μὴ αἰσχροκερδη

[56] Mounce, William. *Word Biblical Commentary,* p. 46,178.

[57] O problema é antigo. Veja os textos a seguir, que descrevem o mesmo problema entre os líderes espirituais no Antigo Testamento: Ezequiel 34.2-10; Zacarias 10.2,3; 11.4,5.

Na época em que o Novo Testamento estava sendo escrito, falsos mestres "negociantes" já estavam em cena, repetindo o erro de Balaão, o "profeta prostituto" que profetizava contra o povo de Deus visando lucro (Judas 11b; 2Pedro 2:3).

O outro lado da moeda: generosidade

É possível que o maior sinal de que um homem não é avarento, ou amante do dinheiro, seja seu desprendimento quanto aos bens materiais, ou seja, sua generosidade. O fato de ser hospitaleiro, como vimos, já revela um coração generoso e mais voltado às pessoas do que às coisas (v. 1Timóteo 3:2). É interessante que Paulo, no mesmo texto em que adverte contra a avareza, inclui a seguinte exortação ao jovem pastor Timóteo:

> *Ordene aos que são ricos no presente mundo que não sejam arrogantes, nem ponham sua esperança na incerteza da riqueza, mas em Deus, que de tudo nos provê ricamente, para a nossa satisfação. Ordene-lhes que pratiquem o bem, sejam ricos em boas obras, generosos e prontos a repartir. Dessa forma, eles acumularão um tesouro para si mesmos, um firme fundamento para a era que há de vir, e assim alcançarão a verdadeira vida* (1Timóteo 6.17-19, NVI).

O homem de Deus já tem a "carteira convertida". Seu uso do dinheiro e dos bens que possui revela quem é o verdadeiro senhor de sua vida. Os homens de Deus são reconhecidos por uma vida desprendida e generosa. Têm credibilidade para liderar o rebanho de Deus, pois visam unicamente ao avanço do reino de Deus.

PERGUNTAS PARA GRUPOS PEQUENOS

1. Quais são alguns sinais de que as questões financeiras são demasiadamente importantes e que o homem se tornou "amante do dinheiro"?
2. Quais são alguns princípios éticos que alguém pode estabelecer para se proteger contra a avareza?
3. Quais são os exemplos de generosidade não fingida que você já identificou em outros homens e que revelam um coração não avarento?
4. Quais são as áreas específicas que constituem o maior desafio para você na questão da avareza e do apego ao dinheiro ou aos bens materiais?

Orem uns pelos outros, para que a sutileza da tentação financeira não arruíne a vida e o ministério de ninguém do seu grupo. Peçam a Deus um coração desprendido e generoso.

11

QUE GOVERNE BEM
A PRÓPRIA CASA

Há vezes em que muitos de nós nos sentimos como se a vida estivesse fora de controle. No entanto, dificilmente chegamos ao extremo de apresentar sintomas da chamada síndrome da acumulação compulsiva, ou seja, a aquisição ou coleta de bens ou objetos descartados como lixo, ou o acúmulo exagerado e empoeirado de itens como livros, revistas, ferramentas, recipientes diversos, produtos químicos, metais, madeira, móveis, materiais de construção, material elétrico e aparelhos eletrônicos, obsoletos ou com defeito — daí o termo "juntador de velharias".[58]

Um exemplo desse mau governo da vida foi relatado em uma reportagem:

> O excêntrico colecionador Richard Wallace, de 61 anos, tinha tanto lixo acumulado em seu quintal que era possível ver pelo Google Earth, programa que mostra imagens de satélites [...]. O inglês acumulou

---

[58] Disponível em: <http://pt.wikipedia.org/wiki/Acumulação_compulsiva>. Acesso em 20 de janeiro de 2015.

> pilhas e pilhas de jornais, algumas publicações de 34 anos atrás. Lá também estavam seis carros enferrujados — três *Jaguars*, um *Audi* e dois *Wolseleys* —, quase encobertos no jardim por sacos de latas e garrafas vazias, cadeiras cobertas de musgo, carrinho de bebê, materiais de construção e até pias de cozinha.[59]

Se já faz tempo que você limpou o seu depósito ou organizou os armários de casa, talvez se sinta um pouco melhor por saber que realmente existem pessoas mais desorganizadas que você. Embora a Bíblia não diga nada a respeito da frequência com que o homem de Deus deve limpar o porta-malas do carro ou pôr em ordem seus objetos, fala, sim, a respeito da organização e liderança de sua casa.

A qualidade de caráter do homem de Deus que vamos estudar diz que ele *governa bem a própria casa* (1Timóteo 3:4a). Refere-se à maneira pela qual o homem lidera sua família como administrador responsável pelo andamento da casa. A palavra "governar" (προϊστάμενον - *proistamenon)* literalmente significa "presidir". Refere-se a alguém que "está à frente, governando, dirigindo" a família.[60] Mounce sugere que a palavra retém um pouco de seu sentido original: "ir adiante" e "proteger e providenciar".[61]

Deus chama o homem para liderar "bem",[62] ou seja, com decência e ordem, em contraste com caos e confusão. Ele é reconhecido pela própria família como o líder da casa.

O texto paralelo referente ao diaconato (3:12) diz: *O diácono* [...] *governe bem seus filhos e a própria casa*. Os termos usados são idênticos (3:4), com exceção de que os filhos

[59] Disponível em: <http://extra.globo.com/noticias/mundo/coleciona dor-ingles-tinha-tanto-lixo-em-casa-que-era-possivel-ver-do-espaco-3489419.html#ixzz2OOqPKbQJ>. Acesso em 20 de janeiro de 2015.

[60] *A Greek-English Lexicon of the New Testament and Other Early Christian Literature,* 3a ed. Chicago: The University of Chicago Press, 2001, p. 707.

[61] Mounce, William. *Word Biblical Commentary 46*, p. 178.

[62] καλῶ̃ – *kalos*, em posição enfática no texto.

são destacados[63] como o objeto de governo e orientação. (Estudaremos este aspecto no próximo capítulo.)[64]

Note que a gerência em 1Timóteo 3:4 é mais ampla do que a simples paternidade. Embora a criação dos filhos seja o enfoque em ambos os textos, a ideia da gerência aplica-se a toda a casa, ou seja, à vida familiar. O líder espiritual é um bom mordomo da própria casa!

Essa ideia permeia a carta de Paulo ao jovem ministro Timóteo, quando o apóstolo explica sua razão de escrever: *Escrevo-te estas coisas, esperando ir ver-te em breve; para que, se eu tardar, fiques ciente de como se deve proceder na casa de Deus, que é a igreja do Deus vivo, coluna e baluarte da verdade* (1Timóteo 3:14,15).

A igreja é um organismo, não uma "organização"; uma família, não uma firma! Mas a família também precisa de boa administração, uma boa mordomia para que tudo possa correr com decência e ordem.

Infelizmente, muitos líderes da igreja não demonstram ser gerentes eficientes do próprio lar. Embora seja possível e até desejável compartilhar responsabilidades com a esposa (v. Provérbios 31:10-31; Tito 2:3-5) e, às vezes, com os filhos mais velhos, em última análise o responsável pelo andamento da casa é o homem.

Provérbios destaca a importância de sermos bons mordomos das pessoas e das posses que Deus nos confiou: *Procura conhecer o estado das tuas ovelhas e cuida dos teus*

[63] O termo "filhos" está em posição enfática no original.

[64] Entre outros textos relevantes em que o termo "governar" ou "presidir" é usado, podemos citar: [...] *o que exorta, faça-o com dedicação; o que contribui, com liberalidade;* **o que preside**, *com diligência* (Romanos 12.8); *Agora, vos rogamos, irmãos, que acateis com apreço os que trabalham entre vós e* **os que vos presidem** *no Senhor e vos admoestam; e que os tenhais com amor em máxima consideração, por causa do trabalho que realizam* (1Tessalonicenses 5.12,13); *Devem ser considerados merecedores de dobrados honorários os presbíteros* **que presidem bem**, *com especialidade os que se afadigam na palavra e no ensino* (1Timóteo 5.17).

Para refletir

No mundo empresarial, a boa administração exige equilíbrio financeiro, pessoal, relacional e gerencial. Quando se trata do "gerente" do lar, quais são algumas áreas nas quais uma administração equilibrada assegura "decência e ordem" na família?

rebanhos, porque as riquezas não duram para sempre, nem a coroa, de geração em geração (Provérbios 27:23,24).

À luz desse texto, entendemos que o homem sábio valoriza o que Deus confiou em suas mãos, reconhecendo que uma mordomia infiel pode resultar na perda dessa bênção.

Voltando a 1Timóteo 3:4,5, descobrimos que o líder espiritual expande sua influência do menor ao maior, ou seja, de sua própria família para o grupo maior, a família de Deus. Ele aprende como cuidar do próprio rebanho para que possa cuidar da igreja, o povo de Deus. Quem é fiel no pouco também será fiel no muito.

O versículo 5 levanta a pergunta retórica acerca da gerência da igreja e da família: *se alguém não sabe governar a própria casa, como cuidará da igreja de Deus?* A palavra "governar"[65] é a mesma usada no versículo 4 e tem a ideia de "presidir". O princípio está claro: primeiro, o homem de Deus "gerencia" o grupo menor, *seu* rebanho. Depois, adquire experiência e credibilidade para desempenhar papéis de liderança na família de Deus.

O homem de Deus aprende a cuidar de seu próprio núcleo familiar para que possa cuidar da igreja. O verbo "cuidar"[66] aparece no Novo Testamento somente aqui

Para refletir

Como a experiência familiar prepara o homem para a liderança espiritual em esferas maiores?

65 προστῆναι

66 ἐπιμελήσεται

(1Timóteo 3:5) e em Lucas 10:34,35, em menção ao bom samaritano que "cuidou" do homem ferido por assaltantes. O líder espiritual deve "governar bem sua própria família e a igreja, cuidando delas, como alguém cuidaria de um amigo doente".[67]

Precedente bíblico

O plano de Deus em Gênesis claramente estabelece um precedente para a responsabilidade gerencial do homem em casa. Contudo, liderança não significa opressão nem abuso de poder, mas sim responsabilidade, supervisão, cuidado, amor sacrificial e exemplo. Ser um homem segundo o coração de Deus requer que assumamos a responsabilidade de liderança. Não significa ser machista nem tratar as mulheres com desdém. Muito pelo contrário. A masculinidade bíblica exige o modelo de liderança de *servo* (Efésios 5:25-33).

Infelizmente, enquanto alguns homens gostam de projetar uma imagem forte de liderança, muitas vezes estão se protegendo das próprias inseguranças e medos. Essa é a descrição clássica do machismo. Em vez de liderar a casa, os homens machistas isentam-se de assumir sua responsabilidade, renegam sua autoridade e são passivos em seu proceder, em vez de ativos (leia-se: *intencionais*) na direção de sua casa. Deus chama homens para que sejam líderes em casa e na igreja!

Existem muitas evidências no relato da criação em Gênesis que mostram que Deus fez o homem para liderar, o que implica também proteger e pastorear:

1. Adão foi feito primeiro (Gênesis 1:27; 2:7,15-23; cf. 1Timóteo 2:13).
2. A mulher (Eva) foi feita para o homem (Gênesis 2:18,20-23; 1Timóteo 2:13).

[67] MOUNCE, William. *Word Biblical Commentary 46*, p. 178. A palavra "criar" em Efésios 6.4 também traz a ideia de ternura e cuidado (v. Provérbios 4.3).

3. Deus deu as instruções sobre a "administração do lar" (o jardim do Éden) ao homem (Gênesis 2:16,17).
4. A raça humana é chamada pelo nome de Homem (Gênesis 5:2, Almeida 21).
5. Adão deu nome à mulher, assim exercendo liderança (autoridade) no núcleo familiar (Gênesis 2:20,23; 3:20).
6. Deus culpou o homem (Romanos 5:12,17-21) em primeiro lugar e o responsabilizou pela entrada do pecado na raça humana (Gênesis 3:9: *E chamou o Senhor Deus ao homem e lhe perguntou: Onde estás?*).[68]
7. Deus responsabilizou o homem em duas esferas (Gênesis 3:17):
   a. PRIMEIRA, pelo abandono da liderança (*Visto que atendeste a voz de tua mulher*).
   b. SEGUNDA, pela desobediência (*e comeste da árvore que eu te ordenara não comesses*).
8. A consequência do pecado é uma inversão do ideal bíblico e funcional entre os sexos. A queda do homem inclui a complicação da tarefa de gerenciamento da família como resultado natural do pecado e da confusão gerada.[69] A mulher tentaria sobrepujar a liderança do homem (em vez de ser sua ajudadora idônea) e o homem dominaria a mulher (em vez de liderá-la e protegê-la; v. Gênesis 3:16b e 4:7). Os filhos trariam dor e não tanto a alegria (3:16), e a terra iria lutar contra o homem e seu esforço de "pôr pão na mesa".

[68] Satanás dirigiu-se à mulher (Eva) a fim de subverter a ordem bíblica de liderança masculina no lar; Adão assumiu uma posição passiva e calada durante a tentação, abrindo mão, portanto, de sua responsabilidade como líder/sacerdote do núcleo familiar e abrindo a porta para o pecado (Gênesis 3.1-6).

[69] *Lex talionis*, ou seja, a "lei de retaliação", em que o castigo é conforme o crime.

9. Deus anunciou a morte de Adão como cabeça da raça humana (Efésios 5:23; 1Coríntios 11:3).

Ao mesmo tempo, devemos entender a liderança do ponto de vista bíblico. Deus não chama os homens para a tirania, mas para que sejam servos amorosos, sempre prontos a defender e servir sua própria família, ensinando a ela a palavra de Deus, guiando-a e sacrificando-se pelo seu bem-estar. Que contraste com o retrato do machão que só leva vantagem, pensa em si mesmo e defende os próprios direitos!

Liderança amorosa à moda de Jesus

Uma coisa é enfatizar a liderança masculina; outra bem diferente é definir como ela funciona. Para muitos, ser líder é mandar nos outros, levar vantagem, ser servido pelos demais, estar por cima dos liderados. Mas a liderança do homem de Deus segue o modelo de Jesus. Entre muitas características dessa liderança, podemos destacar duas que representam um grande desafio a qualquer homem que leve a sério o exemplo de Jesus:

1. **Serviço** (João 13:1-5,12-17; Marcos 10:45; Filipenses 2:1-8; 1Pedro 5:1-3). O estilo de liderança que Jesus exemplificou e ensinou encara o privilégio de ser líder como a oportunidade e a responsabilidade de servir a todos os que estão sob sua liderança. Ou seja, a pirâmide da liderança é invertida. Em vez de ser *servido* pelos que estão ABAIXO dele (figura 1), o líder conforme o coração de Deus tem o privilégio de *servir* a todos que ele põe ACIMA dele (figura 2):

Líder

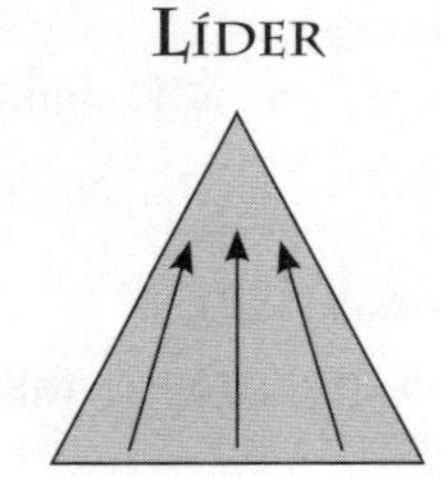

Figura 1

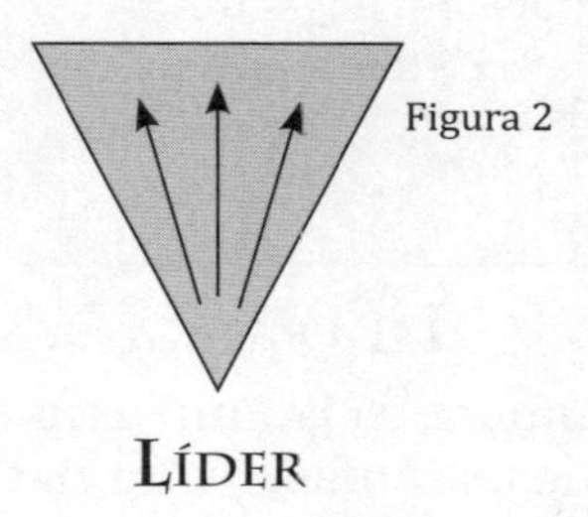

Figura 2

Líder

2. **Sacrifício amoroso** (Efésios 5:25-33; 1Pedro 5:1,2; cf. 1Timóteo 1:5; 1Coríntios 13). A segunda característica do líder segundo o coração de Jesus é a disposição de amar sacrificando-se a si mesmo. O marido tem como chamado amar a esposa como Cristo amou a igreja, sacrificando-se por ela, cuidando dela tanto quanto cuida do próprio corpo (Efésios 5:25-33). Os líderes da igreja são chamados a pastorear sem pensar no benefício próprio, mas sim com o objetivo de servir aos irmãos em Cristo (1Pedro 5:2). Deus repreende severamente pastores/líderes que exploram e enganam o rebanho (Zacarias 10:2,3; 11:4-7; Jeremias 23:11,14-16, 21,25-32) e que não se sacrificam para servi-lo e amá-lo. Esse tipo de amor exige coragem, força, disposição e desprendimento — todos exemplificados em Jesus.

Pelo fato de que a imagem de Deus no homem foi corrompida e contaminada no primeiro Adão, o Filho de Deus se fez homem (o segundo ou novo Adão) com o objetivo de mostrar-nos o caminho de volta a Deus (João 1:14). Em Cristo, somos refeitos à imagem de Cristo (2Coríntios 5:17,21), chamados para andar em uma nova forma de vida (Romanos 6:4; Colossenses 2:6), uma vida em Cristo, para que ele viva através de nós (Gálatas 2:20). Deus há de completar esta obra maravilhosa, e um dia seremos na prática o que já somos em posição (Fl 1:6; Romanos 8:29; 1João 3:1,2).

Para refletir

À luz da seriedade com que Deus trata a liderança masculina em casa, você consegue detectar áreas na sua vida nas quais tem negado sua responsabilidade, delegado demais a seus familiares ou deixado de proteger a sua esposa (1Pedro 3.7), forçando-a a carregar fardos pesados demais para ela?

Liderança masculina na igreja

Embora seja um assunto muito polêmico nos nossos dias, a ênfase clara das Escrituras trata da liderança masculina no contexto da igreja local. O ensino bíblico claramente indica que os homens devem exercer a liderança da igreja.[70]

Mas hoje muita coisa mudou. Em algumas igrejas, é difícil encontrar homens na liderança. Em outras, é difícil achar homens *na igreja*! Antes de culparmos as mulheres por terem entrado na brecha, cabe perguntarmos a nós mesmos se grande parte da responsabilidade não se deve ao comodismo e ausência dos homens na liderança.

Deus quer levantar homens para liderar a igreja, que é a família de Deus (1Timóteo 3:15), assim como ele chama homens que assumam a liderança do lar. Infelizmente, o pecado provocou uma distorção grotesca nas vidas e nos relacionamentos familiares e na sociedade. Desde a queda e a entrada do pecado, os homens têm sido passivos, defensivos e opressivos, protegendo-se a si mesmos em vez de liderar como servos amorosos os que lhes foram confiados.

Mais uma vez, é apenas pelo poder da palavra de Deus que os homens que estão em Cristo podem reverter os resultados da queda. A masculinidade bíblica envolve ser um homem "segundo o coração de Deus": parecer-se com Cristo, proteger como Cristo e presidir como Cristo.

[70] Não temos espaço para entrar na discussão sobre a possibilidade de ordenação feminina, a função da mulher e tantas outras questões culturais e bíblicas relacionadas ao papel da mulher na igreja. Basta mencionar aqui que o precedente bíblico para a liderança masculina é forte e amplo. Veja alguns exemplos: 1. *O precedente bíblico do AT foi a liderança masculina da comunidade de fé.* a) Adão, Enoque, Noé, Abraão, Isaque, Jacó, José, Moisés, Josué etc. b) Exceções (no período dos juízes) foram observadas como exceções e motivo de vergonha de homens omissos (Débora e Baraque, Juízes 4–5). c) O sacerdócio levítico foi reservado aos homens. 2. *O exemplo de Jesus e dos discípulos foi o da liderança espiritual masculina, mesmo que Jesus tenha mostrado o grande valor das mulheres em seu ministério* (v. o Evangelho de Lucas, por exemplo). 3. *O modelo da igreja local em Atos é de liderança masculina* (Atos 6.1-4). 4. *As Epístolas enfatizam claramente a liderança masculina na igreja local*: 1Timóteo 2.11-15 (cf. 1Coríntios 11.5); 1Timóteo 3.1,2,4,5 (cf. Tito 1.6); 2Timóteo 2.2; Tito 2.3-10.

A vida de Cristo em nós é uma vida centrada no serviço a outros, em favor do reino de Deus. Vivemos para amar, proteger e servir em vez de ser servidos; dar em vez de receber; liderar ativamente aqueles que Deus confiou ao nosso cuidado: esposa, filhos e igreja.

PERGUNTAS PARA GRUPOS PEQUENOS

1. Quais são as áreas em que você precisa melhorar a administração da sua casa? Em quais delas você sente que o caos (não a ordem) prevalece?
2. Você concorda com estas afirmações?
   a. "Se o lar não vai bem, normalmente a culpa é do marido/pai como líder da família."
   b. "Se os homens conduzissem os negócios como conduzem a própria família, iriam à falência!"
3. Por que é tão difícil para o homem ser o líder espiritual de sua casa?
   a. Orar com a esposa.
   b. Treinar os filhos na palavra.
   c. Ser um exemplo de piedade e pureza.
   d. Tomar decisões difíceis na área de entretenimento, a fim de guardar o coração e a mente de sua família (Salmos 101).
4. Quais são algumas das formas práticas pelas quais podemos ser menos egoístas e mais atentos às necessidades das pessoas ao nosso redor, começando com a nossa mulher e com os nossos filhos?
5. Até que ponto você é passivo ou distante como marido e pai? Como pode ser um participante mais ativo na sua casa e saber o que passa com a sua família (1Pedro 3.7)?

Orem uns pelos outros para que sejam homens responsáveis, diligentes, bons administradores do núcleo familiar em todos os sentidos.

12

QUE GOVERNE BEM

OS FILHOS

Ainda não haviam fechado as portas do avião e eu já sabia que esse seria um voo de pesadelo. A família que tomou quatro poltronas da fileira na minha frente entrou como ciclone — pai, mãe e dois filhos totalmente fora de controle. Se fossem bebês eu entenderia — a nossa família já teve seus "momentos" em viagens com crianças de colo, que parecem escolher as piores horas para aprontar. Mas essas crianças, de aproximadamente 4 e 6 anos, tinham idade suficiente para aprontar coisas bem maiores — e mais sérias.

Começou com as demandas... refrigerante, salgadinhos, balas, tudo à base de gritos. Depois os chutes fortes nas poltronas da frente e, logo em seguida, o corpo todo jogado na própria poltrona a ponto de nos sacudir na fileira de trás. O olhar de angústia no nosso rosto, e no dos outros passageiros, não foi nada em comparação com o desespero dos pais à mercê de suas crias.

O auge do caos aconteceu quando a mulher pediu ao marido que buscasse leite em pó na bagagem de mão que haviam guardado acima das poltronas. Esse homem, ofegante pelas tentativas fúteis de aplacar as birras dos pimpolhos, obedientemente levantou-se para abrir a mala. Infelizmente, em meio a tanta confusão, alguém não havia fechado a tampa do leite em pó. Uma nevasca de pó branco encheu o ar do avião e rapidamente espalhou-se, assentando-se sobre os passageiros. Creio que ainda tenho leite em pó no teclado do meu computador!

Se fosse um incidente isolado, ainda assim seria complicado. Mas, pelo que vi nos olhares entre marido e mulher, esse drama era a vida normal deles. Os pais eram verdadeiros reféns dos filhos.

Já vimos que o homem de Deus foi chamado para ser *líder*, com a tarefa de presidir bem a própria família, como responsável por tudo que se passa em sua casa (1Timóteo 3:4; Tito 1:6). Mas ambos os textos sobre a administração do lar voltam a atenção especialmente para a vida dos filhos, que também devem ser bem "presididos" ou "governados". Todo pai é um pastor do pequeno rebanho que Deus lhe concedeu. O pai tem a responsabilidade dada por Deus de ensinar a obediência, o respeito e a honra. O "pai-pastor" adquire experiência de vida, credibilidade e autoridade para também cuidar de pessoas na família maior, a igreja. Vamos examinar alguns aspectos importantes da responsabilidade que o pai de família tem diante de Deus.

Filhos obedientes, submissos e respeitosos

O texto de 1Timóteo 3:4 diz: *e que governe bem a própria casa, criando os filhos sob disciplina, com todo o respeito.* "Sob disciplina" significa literalmente "em sujeição".[71] O termo refere-se àqueles que se submetem a uma autoridade estabelecida. Os filhos do líder reconhecem que ele é a autoridade principal em sua vida, por isso respondem prontamente a essa autoridade com obediência bíblica. "Uma indicação de sua habilidade gerencial é a postura normal de seus filhos".[72]

[71] ἐν ὑποταγῇ

[72] Mounce, William. *Word Biblical Commentary 46*, p. 179.

A frase "com todo o respeito"[73] significa literalmente "com toda reverência ou dignidade". O substantivo "respeito" pode ser traduzido por "reverência, dignidade, seriedade, respeito ou santidade".[74]

Há pelo menos duas opções para o significado da frase "com todo o respeito":

1. Que os filhos tratam o pai com o respeito devido.
2. Que o pai mantém total dignidade no processo de educar os filhos.[75]

O contexto do versículo está a favor da primeira opção, que sugere que a atitude dos filhos é o foco. A favor da segunda está o fato de que a palavra traduzida por "dignidade" foi usada para descrever o diácono (3:8), a esposa deste (3:11) e os homens mais velhos (Tito 2:2), talvez para indicar que é o pai quem deve governar a família "com dignidade". "Quando os filhos estão na casa, devem ser controlados com dignidade."[76]

Cremos que a melhor opção é entender que os filhos imitam as boas habilidades gerenciais do pai respeitando a autoridade dele. Em outras palavras, esse pai conquista o coração de seus filhos (Provérbios 23:26), ganhando-os e persuadindo-os a viver uma vida de obediência (submissão) e respeito. Os filhos não zombam do pai em particular, muito menos em público. Antes o honram, submetem-se a ele e não são rebeldes.

A falta de obediência e honra dos filhos aos pais é uma das características dos últimos tempos (2Timóteo 3:2). Em Romanos 1:28-32, Paulo lista uma série de pecados que caracterizam uma "disposição mental reprovável" e inclui indivíduos soberbos, presunçosos, **desobedientes aos pais**, sem afeição natural e sem misericórdia, entre outros. Acrescenta que tais pecados são passíveis de morte.

---

[73] μετὰ πάσῆ σεμνότητῦ

[74] *A Greek-English Lexicon of the New Testament and Other Early Christian Literature*, 3a ed. Chicago: The University of Chicago Press, 2001, p. 747.

[75] Mounce, William. *Word Biblical Commentary 46*, p. 179.

[76] Kent Jr., Homer A. *The Pastoral Epistles*, p. 129.

Hoje, encontramos filhos processando os pais, acusando-os de ser a causa de todo tipo de neurose, psicose, esquizofrenia e muito mais. Vemos filhos que matam os pais, e pais que matam os filhos; como resultado, são cada vez mais frequentes pedidos para socorrer uma família. Uma capa da revista *Veja São Paulo* lamentou essa situação com a manchete "Lar, trágico lar".[77]

Mas o pai cujos filhos o respeitam pode enfrentar qualquer inimigo sem passar vergonha (Salmos 127:5; Provérbios 27:11). O respeito é algo que se deve a pai e mãe pela posição que ocupam no plano divino, não necessariamente por merecimento. Pedro exigia esse tipo de atitude diante de governantes ímpios e maus — não porque eram bons, mas porque foram colocados por DEUS em posição de autoridade (1Pedro 2:13-15).

Os filhos precisam saber que, quando se trata da responsabilidade de honrar os pais, o importante não é tanto sua intenção, mas sua atuação. Ou seja, o que importa não é se os filhos *acham* que estão respeitando os pais, mas se os pais *se sentem* respeitados pelos filhos.

RESPEITO X DESRESPEITO

- Os filhos nunca devem elevar a voz quando falam com os pais, muito menos bater nos pais, mordê-los, bater portas diante deles, arregalar os olhos ou discutir com os pais.
- Os filhos não devem ensinar a seus pais como ser pais. Filhos que agem dessa maneira tornam-se sábios a seus próprios olhos (Provérbios 3.7). O grande autor Mark Twain certa vez disse: "Quando eu era jovem de 18 anos, pensei que o meu pai era o maior bobo do mundo. Quando eu tinha 21 anos, depois de ter experimentado a vida, fiquei impressionado com quanto o meu pai havia aprendido em três anos."

[77] São Paulo, n. 39, 25 setembro 2013.

- Os filhos não devem tratar os pais como colegas ou "amigos". Chamar os pais pelo primeiro nome, exigir direitos, ser ingrato, bater boca são atitudes que normalmente desonram os pais.
- Uma boa sugestão é ensinar os filhos a cumprimentar e dar atenção à chegada dos pais e dos mais velhos (Levítico 19.32). Filhos que não se manifestam quando o pai ou a mãe chegam do trabalho, ou que não desviam os olhos da TV nem do *videogame* quando pessoas mais velhas chegam à casa acabam desrespeitando seus progenitores.
- Os filhos sempre devem falar com respeito na presença dos pais e nunca ridicularizá-los ou zombar deles (Provérbios 30.17).
- Filhos que buscam o conselho dos pais prestam-lhes grande honra. Decisões sobre escola, carreira, namoro, noivado e casamento devem contar com a sabedoria daqueles que melhor os conhecem. Mesmo quando adultos, podem consultar os pais em situações difíceis, mostrando-lhes, dessa forma, grande honra.

Para entender a importância do papel dos pais (e especialmente do pai) no ensino sobre a obediência, o respeito e a honra, basta notar que não menos de *nove* textos ressaltam a obrigação dos filhos: Êxodo 20:12; Deuteronômio 5:16; Malaquias 1:6; Mateus 15:4, 19:19; Marcos 7:10, 10:19; Lucas 18:20; Efésios 6:2. No entanto, outros textos denunciam uma triste realidade que vemos muito atualmente: filhos que amaldiçoam os pais (Provérbios 30:11). Deus reserva algumas de suas advertências mais severas em sua palavra a filhos que desrespeitam os próprios pais. Essa questão é muito séria aos olhos de Deus:

- **Provérbios 20.20:** *A quem amaldiçoa a seu pai ou a sua mãe, apagar-se-lhe-á a lâmpada nas mais densas trevas.*
- **Provérbios 30.17:** *Os olhos de quem zomba do pai ou de quem despreza a obediência à sua mãe, corvos no ribeiro os arrancarão e pelos filhotes da águia serão comidos.*

- **Levítico 20.9:** *Se um homem amaldiçoar a seu pai ou a sua mãe, será morto: amaldiçoou a seu pai ou a sua mãe; o seu sangue cairá sobre ele.*
- **Deuteronômio 21.18-21:** *Se alguém tiver um filho contumaz e rebelde, que não obedece à voz de seu pai e à de sua mãe e, ainda castigado, não lhes dá ouvidos, seu pai e sua mãe o pegarão, e o levarão aos anciãos da cidade, à sua porta, e lhes dirão: Este nosso filho é rebelde e contumaz, não dá ouvidos à nossa voz, é dissoluto e beberrão. Então, todos os homens da sua cidade o apedrejarão até que morra; assim, eliminarás o mal do meio de ti; todo o Israel ouvirá e temerá.*

Até onde se sabe, nenhum filho de Israel nunca sofreu a pena de morte por rebeldia. Alguns dos textos mencionados usam figuras de linguagem para chocar os leitores para que entendamos a seriedade do ensino do respeito e da honra em casa. Infelizmente, nos nossos dias, muito se perdeu da perspectiva séria sobre honra e respeito. Uma vez que a tolice já está no coração da criança desde o nascimento (Provérbios 22:15), quem precisa ensinar o filho a obedecer, respeitar e honrar as autoridades em sua vida são *os pais!*

Alcançando o coração dos filhos

Para ter filhos obedientes e respeitosos, o pai deve desenvolver total dependência da graça de Deus, ter amor a Deus no coração, além de assumir o compromisso com sua palavra (Deuteronômio 6:4-9). Pois sabemos que o pai tem a responsabilidade de alcançar o coração dos filhos — algo possível somente pela graça de Deus.

Para isso, o pai deve procurar manter o alto padrão de santidade exigido por Deus e mostrar ao filho que ele, filho, é incapaz de atingir esse padrão (assim como o pai não é capaz de fazê-lo) sem que Cristo seja a esperança do homem.

A palavra de Deus destaca três grandes responsabilidades dos pais que, não por acaso, são as mesmas responsabilidades que têm os pastores e presbíteros no cuidado do rebanho maior chamado a família de Deus. A igreja é uma família; por isso o desempenho do pai em casa qualifica-o para liderar a alma das pessoas em uma esfera mais ampla, a igreja!

As principais responsabilidades dos pais (e pastores) no cuidado do núcleo familiar e da família de Deus são:

1. Intercessão, ou seja, dependência
   (Jó 1:5; Atos 6:4)

   Os pais nunca deixam de interceder pelos filhos, mesmo que eles já estejam fora de casa e sejam adultos ou tenham sua própria família.
2. Instrução, ou seja, discipulado
   (Deuteronômio 6:4-9; Provérbios 22:6; Efésios 6:4; Atos 6:4; 1Timóteo 5:17)

   O filho precisa aprender o padrão bíblico de obediência, que traça três características:
   a. Imediata (Números 13:30—14:12).
   b. Integral (1Samuel 15:2,3,7-11; 17-24).
   c. Interna (Mateus 15:7-11; o v. 8 é uma citação de Isaías 29:13).
3. Intervenção, ou seja, disciplina
   (Efésios 6:4; Provérbios 19:18,19; 22:15; Mateus 18:15-20)

   A disciplina bíblica providencia "nervos espirituais" para que o filho associe pecado a dor e, assim, busque a Deus por meio de Cristo.

Meu filho, meu discípulo

Quando observamos o texto paralelo de Tito, vemos a expressão *que tenha filhos crentes* (Tito 1:6b). "Crentes"[78] também pode ser traduzido por "fiéis". A frase pode ser interpretada de várias maneiras, mas as duas opções principais entendem que os filhos devem ser:

[78] πιστά (*pista*).

1. Crentes em Cristo Jesus (algo que parece difícil ou até mesmo impossível para que os pais controlem ou garantam, mas que demonstra a bênção do Senhor sobre o ministério do pai).
2. Filhos "fiéis" (ou seja, filhos que dão evidência de ser discípulos, leais e comprometidos principalmente com Deus, embora também com seus pais, com a igreja ou com suas responsabilidades na igreja). Se a ideia de "fiéis" for adotada, há também duas possibilidades de significado:
   a) Que os filhos são convertidos e discípulos.
   b) Que os filhos, mesmo que não sejam convertidos, são submissos, leais e comportados.[79]

À luz das outras qualificações listadas para os filhos do líder, assim como o fato de que a família é uma miniatura da igreja, o alvo dos pais não é só que o filho um dia "tome uma decisão ao lado de Cristo", mas que seja um "discípulo" fiel de Jesus (Mateus 28:18-20). O argumento de liderança do menor ao maior usado em 1Timóteo 3:5 (*se alguém não sabe governar a própria casa, como cuidará da igreja de Deus?*) sugere que o homem qualificado para a liderança espiritual tem filhos que são comprometidos com Deus.

O texto em Tito, por sua vez, vai além das qualificações familiares alistadas em 1Timóteo 3. O alvo dos pais não é condicionar o comportamento dos filhos nem criar robôs. O nosso alvo é que os filhos professem fé e que sejam ativos em desenvolver essa fé. Afinal de contas, este é o alvo do ministério, tanto no lar como na igreja: que todos sejam discípulos de Jesus Cristo (Mateus 28:18-20).

Filhos sóbrios

O texto de Tito define ainda melhor o sentido do líder irrepreensível ao acrescentar: *alguém que* [...] *tenha filhos* [...] *que não são acusados de dissolução, nem são insubordinados* (Tito 1:6b).

[79] Mounce, William. *Word Biblical Commentary 46*, p. 388.

"Dissolução"[80] traduz um termo que aparece também em Efésios 5:18 (embriaguez que leva à dissolução) e 1Pedro 4:4 (excesso de devassidão), bem como na forma adverbial em Lucas 15:13,30 em referência ao filho pródigo que "dissipou [...] dissolutamente" sua herança. A desconsideração de outros e a falta de autodisciplina do filho levam a uma vida incorrigível e dissoluta. No caso de candidatos à liderança espiritual, os filhos (com idade suficiente para saber o que estão fazendo, mas ainda debaixo da autoridade do pai) não podem manchar o testemunho do pai, que é um representante de Jesus Cristo e da igreja na sociedade.

"Insubordinados"[81] refere-se a alguém que é "indisciplinado, desobediente, rebelde".[82] O termo é repetido novamente no mesmo capítulo com respeito aos "insubordinados" (1:10), isto é, àqueles que pervertem casas inteiras com ensinamentos falsos. Os filhos de Eli, Hofni e Fineias, são facilmente lembrados como exemplos de filhos dissolutos e desobedientes, cujo comportamento desqualificou o pai da liderança espiritual (1Samuel 2:12; 10:27).

Polêmica

Como entender o governo dos filhos quando estamos diante da questão de qualificar líderes espirituais da igreja (pastores, presbíteros etc.)? Quem decide se um filho que passa por uma fase de rebeldia "desqualifica" o pai como líder espiritual? E no caso de o filho ser adulto ou já estar fora de casa? Ainda assim pode desqualificar o pai?

Em questões tão complicadas, parece importante ressaltar a ênfase maior do texto de 1Timóteo, que é a pergunta: *pois, se alguém não sabe governar a própria casa, como cuidará da igreja de Deus?* O homem que aspira à liderança espiritual precisa dar evidências de ter pastoreado seu pequeno rebanho, conduzindo os filhos a uma fé verdadeira, com

[80] ἀσωτίᾱ (*asotias*).

[81] ἀνυπότακτα (*anupotakta*).

[82] *A Greek-English Lexicon of the New Testament and Other Early Christian Literature,* 3a ed. Chicago: The University of Chicago Press, 2001, p. 76.

fidelidade ao Senhor, disciplina e respeito, para ser assim qualificado para uma responsabilidade maior, a igreja. Na ausência de autoridades apostólicas nos nossos dias (excluindo aqueles que se autodenominam "apóstolos"!), entendemos que essa decisão cabe à liderança local e à congregação, que ao longo dos anos deve ter observado a vida do homem e de sua família. A pergunta essencial à luz de 1Timóteo 3:5 é: "Esse homem deu evidência de ter pastoreado seu pequeno rebanho para poder cuidar da família de Deus?"

Para alguns talvez pareça "injusto" exigir tal influência na vida dos filhos como qualificação para a liderança espiritual na igreja. Mas nada na palavra diz que "liderança espiritual" é direito de todos, muito menos que alguém é "cidadão de segunda classe" no reino de Deus se não desempenhar um papel de liderança na igreja. Sem julgar, menosprezar ou diminuir o homem que tem lutas com os filhos, podemos dizer que Deus usa essa qualificação como "peneira" para mostrar sua vontade quanto aos homens que ele chamou para a liderança da igreja local. Todos precisam reconhecer que é "só pela graça"!

Conclusão

O homem de Deus precisa ser o líder de sua família, ter a casa sob controle, levando os filhos à obediência reverente e à fidelidade a Cristo como discípulos verdadeiros. Isso lhe oferece experiência, credibilidade e autoridade para poder ministrar à igreja de Cristo. Pelo fato de que só Deus pode transformar o coração, o homem de Deus depende única e exclusivamente da graça divina para que seus filhos se convertam a Cristo, por isso trabalha incansavelmente, a fim de mostrar-lhes a natureza de seu próprio coração e apontar para Jesus, o maior exemplo.

Perguntas para grupos pequenos

Ao discutir estas questões, tome cuidado para manter sempre em vista os princípios que norteiam o texto, especialmente a ideia de ter alguém que governa bem o núcleo familiar para que esteja apto a liderar o rebanho maior.

1. Onde entra a responsabilidade individual do filho? É "justo" Deus requerer que um líder espiritual tenha filhos crentes, algo que parece estar fora de seu controle, quer pela soberania divina, quer pela responsabilidade individual do filho?
2. Existe uma idade em que o filho se torna "independente", ou seja, deixa de estar sujeito à autoridade do pai? Há uma idade em que o pai fica "livre" da qualificação de ter filhos fiéis? Caso afirmativo, quem determina essa idade: a lei civil (por exemplo, no Brasil, 18 anos)? A vontade do filho (quando decide morar sozinho)? A independência financeira? O casamento do filho?
3. Existe uma idade mínima em que o filho precisa dar evidências de fé e fidelidade (discipulado)? (Por exemplo, um homem com um filho de 5 anos que ainda não "tomou uma decisão" ao lado de Cristo pode ser um líder espiritual? E se o filho tem 13 anos? 17 anos?)
4. O que impede que você seja um líder mais eficaz na sua casa?
5. Das três responsabilidades do pai no pastoreio dos filhos (intercessão, instrução e intervenção), em qual área você tem mais facilidade? Qual é mais difícil? Como melhorar?
6. Por que muitos pais são tão desrespeitados por seus próprios filhos? Como reverter esse quadro?

Orem uns pelos outros no que se refere à grande responsabilidade de "governar bem" os filhos e a casa.

13

NÃO

NEÓFITO

Já aconteceu muitas vezes, mas nunca deixa de ser uma tragédia. Uma celebridade — um grande jogador, cantor ou ator — se converte. Imediatamente seu *status* e projeção fazem com que algum pastor ou líder evangélico o exponha à luz dos holofotes para dar seu testemunho, ser porta-voz de algum projeto ou simplesmente ser exibido como troféu do esforço evangelístico de alguém.

Infelizmente, se alguém não intervir, afastar os "*paparazzi* evangélicos" e discipular o astro recém-convertido, normalmente é só uma questão de tempo para que ele diga "verdades" teológicas questionáveis (às quais os indoutos dirão "Amém"). Alguns podem criar um escândalo para o evangelho porque sua vida não demonstra arrependimento e transformação verdadeira. Alguns ainda acabam afastando-se da fé e retornando à antiga vida, criando um escândalo maior para o evangelho.

É comum, nestes dias em que a igreja virou "negócio" e que já existe o "*franchising* eclesiástico", encontrarmos pessoas desqualificadas em posições de liderança. Existem organizações que vendem diplomas de estudo teológico "por correspondência", sem ao menos o candidato ter que abrir a Bíblia. Alguns centros religiosos (seria uma vergonha chamá-los de "igrejas") *vendem* cargos ministeriais e pontos de pregação bem localizados. Criam uma hierarquia eclesiástica de acordo com a *performance* do líder, principalmente no que se refere a levantamento de fundos. É uma desonra ver pessoas desqualificadas atuando sem a devida autorização e barateando o evangelho.

A próxima qualidade de caráter do homem de Deus exige que ele não seja "neófito". O fato de ser "neófito" não é necessariamente um defeito de caráter. Ser um "recém-convertido" não é pecado. É algo circunstancial, mas que traz implicações em termos da qualificação do homem para a liderança espiritual.

A experiência espiritual como fruto de um bom caráter autentica a vida e o ministério do homem. "Tempo de casa" e "experiência de vida" ajudam a demonstrar um caráter genuíno, aprovado e que, no decorrer do tempo, exemplifica consistentemente o caráter de Cristo. As tempestades da vida comprovam que ele tem raízes fortes na graça de Deus e que sua vida espiritual não é "fogo de palha".

Para compartilhar

Você consegue lembrar de alguns exemplos de pessoas "neófitas" (atletas, celebridades, políticos etc.) que logo depois de convertidas ao cristianismo receberam alguma posição de destaque espiritual na igreja? Qual foi o resultado?

Definição

O termo neófito[83] ocorre somente em 1Timóteo 3:6 no Novo Testamento, e é uma palavra composta que traz a ideia de "recém-plantado". Neste texto traz a ideia figurativa de um "indivíduo que recentemente se tornou membro

[83] νεόφυτος (neófito; "recém-convertido", NVI) é uma palavra composta de duas palavras, νεό-(neo) "novo" e φυτος (fytos) "plantado", ou seja "recém-plantado".

de um grupo religioso, um 'recém-convertido'".[84] O "bispo" (1Timóteo 3:2), que tinha a supervisão espiritual da igreja local, precisava ser um homem com raízes bem arraigadas no solo da fé cristã, firme nas tempestades e nas provações da vida.

Frase semelhante descreve o diácono como alguém "experimentado", ou seja, testado pelo tempo e pelas experiências da vida, e que, como resultado, demonstra ser irrepreensível (3:10; Tito 1:6).

Outro texto esclarecedor, também de 1Timóteo, diz: *A ninguém imponhas precipitadamente as mãos, para não se tornar cúmplice de pecados de outrem* (1Timóteo 5:22). O contexto fala do pecado de presbíteros denunciados diante do depoimento de duas ou três testemunhas (5:19,20). A imposição de mãos (v. 4:14) pode referir-se ao processo de restauração pública desses indivíduos para a liderança espiritual ou, mais provavelmente, ao reconhecimento e consagração deles para o ministério, algo que deve ser feito com muito cuidado, para que a igreja (representada na imposição das mãos) não se torne participante das possíveis consequências indesejadas que um neófito pode ocasionar na igreja.

O final do capítulo torna essa opção ainda mais favorável, ressaltando a ideia de que o fator tempo é o maior aliado no processo da escolha de líderes, pois o tempo é capaz de revelar o verdadeiro caráter do candidato: *Os pecados de alguns homens são notórios e levam a juízo, ao passo que os de outros só mais tarde se manifestam. Da mesma sorte também as boas obras, antecipadamente, se evidenciam e, quando assim não seja, não podem ocultar-se* (1Timóteo 5:24,25).

Qualidade de caráter: "não neófito"

Textos: 1Timóteo 3.6; cf. 3.10; Tito 1.6

[84] Louw, J. P.; Nida, E. A. *Greek-English Lexicon of the New Testament: Based on Semantic Domains*. New York: United Bible Societies, 1996, c1989 (Electronic ed. of the 2nd edition).

O termo foi traduzido de formas diferentes nas várias versões em português:

- *não neófito* (RA e RC)
- *não pode ser recém-convertido* (NVI)
- *não deve ser um cristão novato* (BV)
- *não deve ser alguém convertido há pouco tempo* (BLH)

O que tem a ver?

Nesta série de estudos sobre as qualidades de caráter do homem de Deus, deixamos claro que todas as qualidades listadas por Paulo em 1Timóteo 3 e Tito 1 são aplicáveis a todos os homens. Mas "não neófito" parece fugir a essa regra. Afinal de contas, não é necessariamente culpa do homem recém-convertido se ele demorou para conhecer o evangelho. Como "não neófito" pode ser considerado uma qualidade de caráter?

Há nessa qualificação alguns princípios inerentes que servem a todos os homens:

1. Nosso alvo deve ser buscar a maturidade espiritual! O "recém-plantado" precisa aprofundar raízes no solo das Escrituras, crescer e fortalecer-se.
2. Ao mesmo tempo, o perigo do orgulho pelo crescimento precoce deve servir de alerta a todos. A humildade sempre deve caracterizar os que Deus chamou para liderar a casa, a igreja e a comunidade.
3. Devemos lembrar-nos de que a vida cristã é uma maratona e que o tempo é um aliado. Em termos de liderança espiritual, não há necessidade de pressa. "Quem come apressado come cru!"

Qualificação absoluta ou relativa?

> **Para refletir**
>
> Até que ponto "neófito" é um termo relativo, condicionado pelas circunstâncias e pelo contexto da igreja local? Por exemplo...
>
> - Num campo missionário primitivo, alguém poderia ser considerado apto para a liderança espiritual mesmo que tivesse somente dois anos ou menos de conversão?
> - Numa igreja histórica, é possível alguém ser "neófito" com dez anos ou mais de experiência cristã?

Parece claro que "neófito" não se refere à idade do ministro, pelo fato de que o próprio Timóteo era considerado relativamente "jovem" quando recebeu essa carta (1Timóteo 4:12), mas nem por isso foi desqualificado para cumprir um papel de liderança espiritual; pelo contrário, ele e Tito foram encarregados pelo apóstolo Paulo de designar outros para tal tarefa nobre (1Timóteo 5:22; Tito 1:5).

Mounce sugere que "neófito" talvez seja uma característica relativa, ou seja, que depende "da idade relativa da igreja local, seu ritmo de crescimento, e outros fatores que variariam de lugar a lugar e de tempos em tempos".[85] Não existe qualificação semelhante na lista de Tito 1, carta dirigida a uma igreja em Creta (ao que tudo indica, uma congregação mais jovem, e que talvez teria de escolher líderes mais jovens). A igreja em Éfeso já tinha pelo menos dez anos quando Paulo escreveu a Timóteo e teria candidatos à liderança mais maduros.

Ao mesmo tempo, reconhecemos que o termo "presbítero"[86] ou "ancião" inclui a ideia de experiência de vida,

[85] Mounce, William. *Word Biblical Commentary 46*, p. 181.

[86] Πρεσβυτέρος.

maturidade, e talvez idade. Louw e Nida sugerem que reflete alguém relativamente mais velho que a idade média do grupo, com caráter comprovado e que por isso possui credibilidade para liderar as atividades da família de Deus.

Três razões são citadas nas epístolas pastorais para explicar por qual motivo os "neófitos" ou as pessoas "não provadas" não devem ser designados para a liderança espiritual:

1. Para evitar o ORGULHO e subsequente queda

[...] *para não suceder que se ensoberbeça, e incorra na condenação do diabo* (1Timóteo 3:6). A palavra, traduzida por "ensoberbecer"[87] é um pouco de difícil interpretação, pois admite duas possibilidades de tradução:

1. Pode trazer a ideia de alguém "soberbo", "cheio de si", ou seja, convencido, devido a uma rápida ascensão à liderança e supervisão espiritual. Os falsos mestres estavam dotados dessa mesma característica (1Timóteo 6:4; 2Timóteo 3:4).
2. A outra possibilidade significa "ficar cego, tornar-se tolo"; nesse caso, a tradução ficaria: *para não suceder* [*que fique cego*] *e incorra na condenação do diabo* (1Timóteo 3:6).

Alguns relacionam as duas ideias, dizendo que o neófito ficaria cego por causa do orgulho, que o tornaria tolo e incapaz de julgar seu próprio caráter corretamente. Conforme diz o texto, esse homem corre o risco de cair na condenação "do" diabo. "Do" diabo pode significar que ele é condenado pelo diabo, ou seja, incorre na condenação que procede do diabo, que o castiga por seu orgulho. Mas parece melhor entender "condenação do diabo" como sendo o mesmo tipo de queda que o diabo sofreu, ou seja, assim como o diabo foi condenado e castigado, o orgulhoso também pode sofrer as mesmas consequências. Neste caso, o texto faz alusão ao fato de que o diabo havia sido anjo de luz e ministro de Deus, mas seu orgulho precipitou-o em uma trágica queda (Provérbios 16:18; Isaías 14).

[87] τυφωθεὶς (*tyfotheis*).

2. Para verificar a AUTENTICIDADE de caráter

Ao descrever os diáconos, Paulo diz que devem ser primeiramente *experimentados* [provados], *e, se se mostrarem irrepreensíveis, que exerçam o diaconato* (1Timóteo 3:10). O verbo traduzido por "experimentados" traz a ideia de passar por testes e provações que resultem em autenticidade. O adjetivo "irrepreensíveis" lembra-nos da primeira característica de caráter na lista de bispos/presbíteros (Tito 1:6; 1Timóteo 3:2). É preciso passar tempo suficiente depois da conversão de uma pessoa para que seu fruto prove ser genuíno ou não.

3. Para não se tornar CÚMPLICE do pecado de um ministro não qualificado (1Timóteo 5.22)

Se a "imposição precipitada de mãos" significa um ato público de ordenação ao ministério espiritual, então a terceira razão pela qual os neófitos não se qualificam para a liderança está no fato de que Deus responsabiliza a igreja pela escolha de seus líderes. Esse processo exige tempo (v. 24,25) e uma devida avaliação.

Conclusão

Não existem "estrelas" no corpo de Cristo. Não há necessidade de expor celebridades recém-convertidas sob os holofotes na tentativa de atrair mais pessoas para o evangelho. Normalmente essas experiências provocam mais prejuízo do que avanço para o reino de Deus.

Não é pecado ser recém-convertido e imaturo na fé. Mas existe a necessidade de crescer espiritualmente a fim de alcançar maturidade de caráter e poder desempenhar a função de liderança que Deus concedeu ao homem em casa, na igreja e na comunidade.

Deus não tem pressa de esculpir a imagem de seu Filho Jesus na vida de um homem. Não devemos ter pressa para designar pessoas que ainda não têm a experiência necessária para posições de liderança na igreja. Tudo a seu tempo! O líder espiritual deve ser alguém com experiência suficiente de vida com Cristo e que tenha um espírito humilde e quebrantado; além disso, ter provado suas raízes espirituais no solo da fé é algo imprescindível para manter-se estabilizado quando vierem as tempestades da vida.

PERGUNTAS PARA GRUPOS PEQUENOS

1. Até que ponto você tem sido ávido por crescimento espiritual? Veja Hebreus 5.11-14. Como você avalia a sua maturidade espiritual: precoce, média, normal ou infantil?
2. Quais são outros perigos, além de cair na "condenação do diabo", que podem acompanhar a escolha de um "neófito" para a liderança espiritual?
3. Que tipos de experiência de vida um homem deve ter para demonstrar um caráter provado o suficiente para assumir a liderança espiritual na igreja local?
4. Até que ponto os termos "presbítero" ("ancião") e "não neófito" devem influenciar a questão da idade de ordenação de um jovem ao pastorado ou de um líder leigo? Há outras considerações que justificam tal escolha?

Orem uns pelos outros para que haja fome por crescimento e maturidade espiritual, paciência e humildade no exercício das funções de liderança.

14

BOM TESTEMUNHO
DOS DE FORA

Escândalos sexuais que envolvem personalidades evangélicas... pastores presos por transportar grandes somas de dinheiro de forma ilegal para outros países... senadores e deputados "evangélicos" acusados de corrupção... líderes religiosos rivais que se acusam mutuamente na televisão e nas mídias sociais....

Nos últimos anos os jornais têm relatado casos de vexames que envergonham o nome de Cristo na sociedade. Alguns empresários recusam-se a empregar os chamados "evangélicos" por causa de seu mau testemunho. Algumas empresas negam-se a fazer negócios com instituições cristãs porque temem nunca receber. Só Deus sabe o prejuízo eterno causado pelo mau testemunho daqueles que se dizem seus filhos.

Mas o mau testemunho não é exclusivamente de pessoas que ocupam posição de destaque, como políticos e pastores. Todo cristão tem a responsabilidade de exalar *o bom perfume de Cristo* (2Coríntios 2:14-16). Ninguém pode agradar a todos o tempo todo — como deixa claro esse texto, segundo o qual a fragrância de Cristo é cheiro de morte para os descrentes. Mas, quando a nossa reputação na sociedade repele as pessoas de Cristo e de sua igreja, temos que reavaliar o que estamos fazendo e se estamos de fato vivendo a vida de Cristo na terra.

O último item na lista de qualificações do líder em 1Timóteo 3 requer que ele *tenha bom testemunho dos de fora* (v. 7). Essa cláusula faz um desfecho com o primeiro item na lista (*irrepreensível*, v. 2), terminando o parágrafo da mesma maneira como começou, com uma declaração de necessidade e urgência: *é necessário* (veja a seguir). O "recheio" entre as duas necessidades urgentes está nos versículos 2 a 6, que constituem um único período sintático no texto original, traçando o perfil do homem de Deus na liderança da igreja local.

Veja a estrutura do texto, que nos lembra o que já aprendemos: uma excelente obra exige excelentes obreiros!

É necessário, portanto, que o bispo seja irrepreensível (v. 2a)

- Esposo de uma só mulher
- Sóbrio
- Hospitaleiro
- Não dado ao vinho
- Cordato
- Não avarento
- Que governe bem a própria casa
- Filhos sob disciplina, com todo respeito
- Temperante
- Modesto
- Apto para ensinar
- Não violento
- Inimigo de contendas
- Não neófito (v. 2-6)

É necessário que ele tenha bom testemunho dos de fora (v. 7)

Qualidade de caráter: "tenha bom testemunho dos de fora"

μαρτυρίαν καλὴν ἔχειν ἀπὸ τῶν ἔξωθεν

Texto: 1Timóteo 3.7

Veja como as versões em português traduzem a frase:

- *tenha bom testemunho dos de fora* (RA)
- *ter boa reputação perante os de fora* (NVI)

- *tenha bom testemunho dos que estão de fora* (RC)
- *deve ser bem conceituado entre as pessoas de fora da igreja, aqueles que não são cristãos* (BV)
- *seja respeitado pelos que não são irmãos na fé* (BLH)

Mais uma vez destaca-se a importância que o líder espiritual tem como representante da igreja local. Ele tem *bom testemunho dos de fora, para que não seja envergonhado nem caia na armadilha do Diabo* (1Timóteo 3:7, Almeida 21).

Contexto

Além da relação com a palavra *irrepreensível* (v. 2) mencionada, existe uma ligação lógica com versículo 6: *não deve ser novo na fé, para que não se torne orgulhoso e venha a cair na condenação do Diabo* (Almeida 21). O neófito ainda não tem caráter desenvolvido e aprovado, por não ter tido tempo suficiente para criar raízes capazes de sustentá-lo nas tempestades da vida. Ainda lhe falta aprofundar as raízes da fé no solo da graça. O "fruto" de sua vida talvez não seja ainda suficientemente maduro. Se for designado para ocupar precocemente uma posição de responsabilidade espiritual, correrá o risco de manchar seu testemunho (NVI: *reputação*), denegrir o nome de Cristo e prejudicar o avanço do evangelho na comunidade. É perceptível que o nosso testemunho atrai — ou repele — pessoas ao evangelho e à igreja!

Uma das maneiras de provar o caráter do homem de Deus é verificar sua reputação na comunidade, não somente como ele se comporta sentado na igreja aos domingos!

Note que três versículos na lista de qualificações mencionam um motivo que justifica sua importância:

Texto	Qualificação	Motivo
v. 4,5	*Que governe bem a própria casa*	*pois, se alguém não sabe governar a própria casa, como cuidará da igreja de Deus?*

v. 6	*Que não seja neófito*	*para não suceder que se ensoberbeça e incorra na condenação do diabo*
v. 7	*Que tenha bom testemunho dos de fora*	*a fim de não cair no opróbrio e no laço do diabo*

Análise

1. A expressão *é necessário*, também usada no versículo 2, ressalta a importância do caráter do líder espiritual como representante da igreja e de Jesus na comunidade (em contraste com os falsos mestres, cujo caráter mancha a reputação da igreja). Conforme o versículo 15, as diretrizes sobre a escolha dos líderes espirituais foram dadas a Timóteo para que soubesse *como se deve proceder na casa de Deus*, que é a protetora da verdade, o evangelho.[88]
2. Ter *bom testemunho* ou *reputação* (NVI) ressalta o papel do líder como exemplo vivo da transformação que Cristo é capaz de produzir em uma pessoa. Sua vida é como um cartão de visita da igreja local e do poder de Jesus. Embora não temamos os homens (Provérbios 29:25), nem procuremos seu favor (Gálatas 1:10), existe um sentido em que a opinião que outros na comunidade têm de um líder espiritual reflete o caráter e a influência deste no testemunho da igreja local (Tito 1:13; 1João 5:9; 3João 12).
3. "Que tenha..." está no modo subjuntivo do verbo para enfatizar o desejo de que o homem dê um bom testemunho em sua comunidade. Por não ser novo na fé, ele já deu provas de um testemunho de caráter sólido ao longo da vida.
4. O público do testemunho são *os de fora*. Essa preocupação evangelística e missionária para com os

[88] Mounce, William. *Word Biblical Commentary 46*, p. 183.

descrentes repete-se várias vezes nas cartas de Pedro e Paulo (1Coríntios 10:32,33; Colossenses 4:5; 1Tessalonicenses 4:12; 1Pedro 2:12,15).

5. O bom testemunho é para não cair em *opróbrio* ou *condenação*. O termo traduz uma palavra que quer dizer vexame, vergonha ou desgraça profunda. Aqui se aplica a um comportamento que traz vergonha ao homem e à causa de Cristo.[89]
6. O perigo é que o presbítero caia *no laço do diabo*. Note que as razões citadas nos versículos 6 e 7 são semelhantes, pois ambas mencionam algum perigo associado ao diabo.[90] Resumindo, o neófito corre o risco de ensoberbecer-se, só para encontrar o mesmo destino do diabo, sendo reprovado e envergonhado. O líder espiritual que não tem uma reputação digna na comunidade corre o risco de ser enlaçado pelo diabo, envergonhando o nome de Cristo e da igreja.

[89] ὀνειδισμον. O termo em si não é necessariamente negativo, pois também se refere ao sofrimento pela causa de Cristo. Hebreus 11.26 fala da *desonra* de Cristo com a qual o cristão se identifica (NVI). Em Hebreus 13.13 os cristãos são chamados a ir em direção a Jesus, *suportando a desonra que ele suportou* (NVI; RA traduz por *levando o seu vitupério*). Em Hebreus 10.33 o termo está no plural e é traduzido por *insultos* (NVI) e *opróbrio* (RA). O substantivo plural também está em Romanos 15.3: *As injúrias dos que te ultrajavam caíram sobre mim* (RA; NVI: *insultos*). A forma verbal é usada para descrever o que Jesus suportou na cruz (Marcos 15.32; Mateus 27.44) e também as injúrias sofridas pelos discípulos de Jesus (Mateus 5.11; Lucas 6.22; 1Pedro 4.14) (Mounce, William. *Word Biblical Commentary 46*, p. 183.)

[90] A *condenação do diabo* (v. 6) parece significar "a mesma condenação com que o diabo foi condenado", ao passo que o versículo 7 (*opróbrio* e *laço do diabo*) parece significar que o próprio diabo enlaça o homem, que cai numa armadilha. Veja o uso de frase semelhante em 2Timóteo 2.26: *livrando-se eles dos laços do diabo;* 1Pedro 5.8: *o diabo, vosso adversário, anda em derredor como leão que ruge, procurando alguém para devorar.*

CONCLUSÃO

O homem de Deus (líder espiritual) deve ser alguém cuja vida reflete a seriedade de caráter e de compromisso com Cristo, evitando, dessa forma, escândalos que manchem a imagem de Jesus e a reputação da igreja na comunidade.

PERGUNTAS PARA GRUPOS PEQUENOS

1. Até que ponto o bom testemunho dos de fora significa que o homem de Deus precisa ser "perfeito"? O que fazer se, porventura, ele descobrir que sua conduta no passado já manchou a reputação da igreja?
2. Quais as áreas da sua vida em que o seu testemunho fora da igreja tem sofrido ataques?
   - ética nos negócios
   - vizinhança
   - trânsito
   - relacionamento com a esposa
   - amizades
   - esportes
   - trabalho
   - finanças

Orem uns pelos outros para que vocês mantenham um bom testemunho diante dos não cristãos.

15

AMIGO
DO BEM

Segundo pesquisas, 137 pessoas morrem assassinadas diariamente no Brasil – 40% delas são jovens entre 15 e 24 anos de idade.[91] Isso representa um total de 50 mil vidas ceifadas por ano.

Uma pesquisa recente revelou que em um período de seis meses 191:347 carros e outros veículos foram roubados no Brasil; quase a metade (93:347) no Estado de São Paulo.[92]

A BandNews relatou que "os registros de estupro no Brasil cresceram 157% em quatro anos, entre 2009 e 2012. Só entre janeiro e junho de 2012, pelo menos 5:312 pessoas sofreram algum tipo de violência sexual. A estatística inclui os casos de estupro, assédio sexual, atentado violento ao pudor, pornografia infantil, exploração sexual e outros crimes sexuais. Em média, em cada dez casos, pelo menos oito são contra mulheres".[93]

[91] Os dados são de 2011. Disponível em: <http://terratv.terra.com.br/Noticias/Brasil/No-Brasil-137-pessoas-sao-assassinadas-por-dia_4194-348325.htm>. Acesso em 30 de março de 2013.

[92] Disponível em: <http://www.roubadosbr.com.br/mais_roubados.php>. Os dados são de pesquisa da CNSeg (Confederação Nacional das Empresas de Seguros Gerais), com base em informações do Denatran (Departamento Nacional do Trânsito). Acesso em 30 de março de 2013.

[93] Disponível em: <http://tvuol.uol.com.br/assistir.htm?video= registros-de-estupro-no-brasil-cresceram-157-em-4-anos-04024D9A3472D4914326>. Acesso em 30 de março de 2013.

O portal Brasil Econômico cita estudos que estimam o preço da corrupção no Brasil entre R$ 41,5 e R$ 69,1 bilhões por ano. De acordo com o relatório "Corrupção: custos econômicos e propostas de combate", pela Federação das Indústrias de São Paulo (FIESP):

- O custo com a corrupção representa entre 1,38 e 2,3% do Produto Interno Bruto (PIB).
- O dinheiro, se investido em educação, por exemplo, poderia ampliar de 34,5 milhões para 51 milhões o número de estudantes matriculados na rede pública do ensino fundamental, além de melhorar as condições de vida do brasileiro.
- Se o desvio de verbas no país fosse menor, a quantidade de leitos para internação nos hospitais públicos poderia subir de 367:397 para 694:409.
- O dinheiro desviado também poderia atender com moradias mais de 2,9 milhões de famílias e levar saneamento básico a mais de 23,3 milhões de domicílios.
- Na área de infraestrutura, o relatório calcula que se não houvesse tanta corrupção, 277 novos aeroportos poderiam ser construídos no país.[94]

Este é o mundo em que vivemos! Sem falar no aumento assustador de alcoolismo, narcotráfico, pornografia, pedofilia, prostituição, espancamento de mulheres e crianças e muito mais.

Esses fatos desencadeiam uma área de grande tensão na vida do homem de Deus, uma tensão que a Bíblia não ignora; pelo contrário, já a previu e sobre ela nos alertou muitos anos atrás:

> *Sabe, porém, isto: nos últimos dias, sobrevirão tempos difíceis, pois os homens serão egoístas, avarentos, jactanciosos, arrogantes, blasfemadores,*

[94] Dados de 2010. Disponível em: <http://www.brasileconomico.com.br/noticias/corrupcao-no-brasil-custa-ate-r-691-bilhoes-por-ano_82676.html>. Acesso em 30 de março de 2013.

> *desobedientes aos pais, ingratos, irreverentes, desafeiçoados, implacáveis, caluniadores, sem domínio de si, cruéis,* ***inimigos do bem****, traidores, atrevidos, enfatuados, mais amigos dos prazeres que amigos de Deus* (2Timóteo 3.1-4, grifo nosso).

Observe a frase destacada no texto acima: *inimigos do bem*. Vivemos em um mundo que odeia o que é santo, puro e realmente bom. Sentimos a tensão de viver em um mundo que *jaz no maligno* (1João 5:19); por isso, temos o desafio de não ser *do* mundo (João 17:14,15), e, sim, *irrepreensíveis e sinceros, filhos de Deus inculpáveis no meio de uma geração pervertida e corrupta, na qual resplandece*[mos] *como luzeiros no mundo* (Filipenses 2:15).

Jesus nos deu uma ordem semelhante: *Assim brilhe também a vossa luz* **diante dos homens***, para que vejam as vossas boas obras e glorifiquem a vosso Pai que está nos céus* (Mateus 5:16, grifo nosso). Tiago acrescenta: *A religião pura e sem mácula, para com o nosso Deus e Pai, é esta:* [...] *a si mesmo guardar-se incontaminado do mundo* (Tiago 1:27).

No mundo, mas não *do* mundo; inculpáveis *no meio* de uma geração pervertida e corrupta; brilhe a vossa luz *diante* dos homens; guardar-se incontaminado *do* mundo... Será tudo isso realmente possível? É possível ser puro e santo em um mundo em que somos bombardeados diariamente pela perversidade? É possível ser íntegro em um mundo de corrupção? É possível ser puro em um mundo de sedução?

A qualidade de caráter *amigo do bem* (Tito 1:8) trata, ao que tudo indica, de um termo bem abrangente; no contexto das cartas de Paulo aos jovens pastores Tito e Timóteo, podemos entender um pouco melhor seu significado.

A expressão "amigo do bem" traduz uma palavra composta no original: "amigo" (ou "aquele que ama") e "bem".[95] Em termos gerais, descreve alguém que ama o *que* é bom ou

[95] φιλάγαθον

quem é bom.[96] Descreve um homem profundamente bom que ama comportar-se bem e fazer o certo; não se trata somente de uma inclinação em sua vida, mas também de uma devoção efetiva e generosa; ele trabalha para realizar o bem e tem prazer nele.[97]

Qualidade de caráter: "amigo do bem"

Texto: Tito 1.8

Como podemos ser homens "amigos do bem"? Mais uma vez, reconhecemos que, em nós mesmos, será impossível pois, sem Jesus, não podemos fazer nada (João 15:5). Ele é o único realmente bom neste mundo e que passou a vida fazendo o bem (Atos 10:38). Mas a vida dele pode e deve ser manifestada em nós e por meio de nós quando também fazemos o bem a todos, principalmente aos da família da fé (Gálatas 6:9,10).

Deus já preparou as "boas obras" para que andássemos nelas (Efésios 2:10). A vida cristã é como um passeio por um pomar em que as árvores estão carregadas de frutos, maduros e suculentos, esperando ser apanhados. Deus já preparou tudo — cabe a nós tomar parte da colheita!

O cristão verdadeiro distingue-se do mundo ao redor por seu apego e prática do bem. Esse é um dos destaques do livro de Tito, no qual encontramos a frase "amigo do bem". Em meio à corrupção e à depravação que era Creta (Tito 1:12), Paulo ordena a Tito (e a todos os homens) *que aprendam também a distinguir-se nas boas obras, a favor dos necessitados, para não se tornarem infrutíferos* (Tito 3:14).[98]

---

[96] Louw, J. P.; Nida, E. A. *Greek-English Lexicon of the New Testament: Based on Semantic Domains*. New York: United Bible Societies, 1996, c1989 (Electronic ed. of the 2nd edition).

[97] Spicq, C.; Ernest, J. D. *Theological lexicon of the New Testament*. Peabody, MA: Hendrickson Publishers, 1994. v. 3, p. 437-439.

[98] Entre outros textos em Tito que enfatizam o "bem", ou seja, as boas obras, destacam-se: 1.1; 2.7,14; 3.1,5,8,14.

Vejamos o significado de "amigo do bem" por dois aspectos: primeiro, o negativo, ou seja "inimigos do mal". Segundo, o positivo, como ser "amigos do bem".

Inimigos do mal

No sentido negativo, entendemos à luz das Epístolas Pastorais (1,2Timóteo, Tito) que precisamos fugir das características dos *últimos dias* descritas em 2Timóteo 3:1-5, em que os homens serão *inimigos do bem* (termo que é o oposto exato de *amigos do bem* nesse texto).[99] Egoísmo, avareza, orgulho, blasfêmia, desobediência aos pais, ingratidão, irreverência, indisciplina, crueldade, traição e muito mais não devem nunca fazer parte da vida do cristão (Efésios 5:7,8). São todas características dos que são inimigos do bem.

Portanto, para sermos "amigos do bem", precisamos ser inimigos do mal. Não é possível ficar em cima da cerca, pois isso traz implicações para toda a vida.

Na sociedade, devemos ser inimigos da injustiça, da corrupção, da exploração, da violência, da perversão e do crime. Na igreja, devemos posicionar-nos contra as aberrações doutrinárias (incluindo as denominacionais), mas também contra as práticas (quando disciplinamos condutas equivocadas, por exemplo). No trabalho, fugimos do mal e nos posicionamos a favor do bem em questões de ética, moralidade e justiça.

No entanto, não seria exagero dizer que talvez a aplicação mais difícil deste texto se refira ao ambiente doméstico. Sou inimigo do mal no meu próprio lar?

É interessante notar como Davi, rei de Israel, expressou esse desejo em um dos salmos de sua autoria. O Salmo 101 descreve o desejo de um homem amigo de Deus que era inimigo do mal *em sua própria casa*.

[99] ἀφιλάγαθοι

Contexto do salmo

O Salmo 101 reflete o desejo profundo do rei Davi em ter um coração íntegro diante de Deus e dos homens.[100] O início do salmo (v. 1,2a) deixa claro que somente Deus é fonte de uma vida íntegra (bondade e justiça). O salmista clama: *Oh! Quando virás ter comigo*, que nada mais é que uma oração pela vinda do "Emanuel" ("Deus conosco"), consumada na pessoa de Cristo Jesus (João 1:14). O apóstolo Paulo fez a mesma declaração, ao escrever:

> *Desventurado homem que sou! Quem me livrará do corpo desta morte? Graças a Deus por Jesus Cristo, nosso Senhor* [...]. *Agora, pois, já nenhuma condenação há para os que estão em Cristo Jesus* (Romanos 7.24—8.1).

Mas como se manifesta tal integridade cristã de forma prática? O restante do salmo expressa essa motivação e duas esferas nas quais a integridade daquele que é "amigo do bem" se manifesta: em casa e nos relacionamentos.

1. O "amigo do bem" revela-se em casa (Salmos 101.2b-4)

O salmista expressa um profundo desejo de revelar a bondade e a justiça do rei divino no contexto mais íntimo de sua vida: em casa! Ele começa no lar porque é justamente aí onde revelamos quem realmente somos.

> *Portas a dentro, em minha casa, terei coração sincero* (2b);
>
> *Os meus olhos procurarão os fiéis da terra, para que habitem comigo* (6a);
>
> *Não há de ficar em minha casa* [*santuário*, NVI] *o que usa de fraude* (7a).

[100] Davi talvez tenha deixado muito a desejar no cumprimento de seus votos reais, principalmente no que diz respeito ao pecado de adultério com Bate-Seba e à falta de disciplina de seus filhos, narrados no livro de 2Samuel.

O verdadeiro reavivamento, que é a vida de Cristo produzida em nós pelo Espírito Santo, manifesta-se primeiramente em casa. Efésios 5:18—6:9 deixa muito claro: o homem de Deus não é necessariamente aquele que prega com poder; que dirige um louvor arrepiante, que jejua e ora por horas e distribui folhetos a todos que encontra. O reavivamento verdadeiro vem quando o Espírito de Deus usa a palavra de Deus para dirigir o povo de Deus! Ocorre quando, de forma sobrenatural, ele verte as tendências naturais do nosso coração e nos transforma de dentro para fora. **O verdadeiro reavivamento manifesta-se primeiro na sua casa e na minha!**

Hoje, mais do que nunca, Deus está chamando homens que tenham a coragem de enfrentar a maré, de ir contra a multidão que tolera o mal dentro da própria casa, que baixa a guarda e dá ao diabo livre passagem. Mas como ser um homem "amigo do bem"? Como a vida de Jesus se revela em casa?

O salmista caracteriza o reavivamento da integridade no lar a partir dos olhos. Há três menções neste salmo sobre a importância dos olhos para que o homem tenha uma vida santa:

1. *Não porei coisa injusta* ***diante dos meus olhos*** (v. 3a) [NVI: *Repudiarei todo mal*].
2. ***Os meus olhos*** *procurarão os fiéis da terra, para que habitem comigo* (v. 6a).
3. *O que profere mentiras não permanecerá antes* ***os meus olhos*** (v. 7) [NVI: *na minha presença*].

No Sermão do Monte, Jesus ressaltou a seriedade e a importância de guardar os nossos olhos: *São* **os olhos** *a lâmpada do corpo. Se os teus* **olhos** *forem bons, todo o teu corpo será luminoso; se, porém, os teus* **olhos** *forem maus, todo o teu corpo estará em trevas. Portanto, caso a luz que em ti há sejam trevas, que grandes trevas serão!* (Mateus 6:22,23).

No versículo 3 o texto literalmente diz: *não porei coisa de Belial diante dos meus olhos.*[101] Belial era uma palavra que

[101] Tradução do autor.

descrevia tudo que não prestava, que não tinha valor e, pior, que causava destruição. Tudo que minava fundamentos, que corrompia e que se destruía pela inutilidade.[102]

O texto continua dizendo: *aborreço o proceder dos que se desviam*, ou seja, "não aguento o comportamento dos 'tortos' ou 'pervertidos'"; *nada disto se me pegará*, quer dizer, não serei contaminado por eles. A frase "nada se me pegará" significa literalmente "não se grudará em mim", ou "Não permitirei que a má influência me atinja".

É importante ressaltar que as seduções do mundo podem pegar em nós, sim, quando permitimos que passem pelas nossas defesas e cheguem à mente. Imagens pornográficas, cenas de filmes e fotos de revistas gravam-se no nosso disco rígido cerebral e dificilmente se apagam! Como já vimos, o segredo unânime da palavra de Deus é fugir da imoralidade, da perversão (1Coríntios 6:18; Provérbios 5:8 etc.).

O salmista parece ter instalado um filtro visual para não ter que contemplar o mal. Dessa forma, evitava tudo que é inútil, ou seja, perverso, corrupto, sensual ou simplesmente perda de tempo. Da mesma maneira, podemos tomar a decisão de evitar que a sujeira do mundo desfile em nossa casa!

Eis três sugestões para sermos "amigos do bem" no que se refere ao entretenimento que entra em nossa casa:

1. **Disciplinar** os programas de TV a que assistimos e quanto tempo dedicamos a eles.
2. **Desligar** a TV ou os dispositivos móveis e eletrônicos quando algo escapar do nosso controle.
3. **Desfazer-se** do televisor se não conseguir manter controle sobre ele!

O salmista foi mais longe. Disse que não queria nem mesmo chegar a conhecer o mal.

Longe de mim o coração perverso [lit., torto]; *não quero conhecer o mal* [NVI: *não quero envolver-me com o mal*] (v. 4). Ele não queria *ter* um coração perverso e, para isso, precisava

[102] Cf. Deuteronômio 13.13/ 15.9; Juízes 19.22/ 20.13; 1Samuel 1.16/ 2.12; Provérbios 6.12; 2Coríntios 6.15.

evitar os perversos. O livro de Provérbios aconselha-nos da mesma forma: *Não tenhas inveja do homem violento, nem sigas nenhum de seus caminhos; porque o SENHOR abomina o perverso, mas aos retos trata com intimidade* (3:31,32). Lembra-nos de Adão e Eva diante da primeira tentação do universo... sua curiosidade em conhecer o mal levou-nos todos ao buraco chamado pecado!

2. O "AMIGO DO BEM" INFLUENCIA A COMUNIDADE (V. 5-8) O salmista revela mais uma esfera na qual a integridade de Cristo se manifesta. A integridade começa com Cristo em nós, estende-se à nossa casa e família, mas influencia a comunidade, ou seja, as nossas amizades e os nossos relacionamentos. Os versículos 5-8 falam das pessoas que ele escolheu como companheiros. Como líder e rei em Israel, Davi vivia o que Provérbios 13:20 diz: *Quem anda com os sábios será sábio, mas o companheiro dos insensatos se tornará mau*[103] (cf. 14:7).

O salmista lista quatro tipos de pessoas que ele procurava evitar: fofoqueiros (v. 5); arrogantes (v. 5b); enganosos (v. 7a) e mentirosos (v. 7b).

As nossas amizades têm a capacidade de nos aperfeiçoar — tornando-nos pessoas mais amáveis, corajosas, estudiosas, trabalhadoras, espirituais etc., ou seja, amantes do bem — ou de nos destruir — e sobre isso não faltam exemplos em todas as épocas dos inimigos do bem!

AMIGOS DO BEM

Como tudo na vida cristã, não é suficiente ser *contra* o mal. Também devemos estar *a favor* do bem, de forma proativa e intencional. O salmista deixa isso claro no versículo 6:

> *Os meus olhos procurarão os fiéis da terra, para que habitem comigo; o que anda em reto caminho, esse me servirá.*

[103] Veja 1Coríntios 15.33: *As más companhias corrompem os bons costumes* (NVI); Provérbios 29.12: *Se o governador dá atenção a palavras mentirosas, virão a ser perversos todos os seus servos.*

Para ser "amigo do bem", o salmista procurava cercar-se de pessoas "fiéis" e "retas". Em outras palavras, mantinha um alto padrão ético e moral, e tinha como conselheiros pessoas íntegras e de caráter reto. Seus negócios não eram contaminados pela sujeira de sócios sonegadores. Seus advogados eram homens livres de suspeita. Seus conselheiros eram humildes e fiéis a Deus. Conforme o ditado, "Dize-me com quem andas, e te direi quem és".

Paulo, por sua vez, expressa a importância positiva de procurar preencher a vida com o que é bom:

> *Finalmente, irmãos, tudo o que é verdadeiro, tudo o que é respeitável, tudo o que é justo, tudo o que é puro, tudo o que é amável, tudo o que é de boa fama, se alguma virtude há e se algum louvor existe, seja isso o que ocupe o vosso pensamento* (Filipenses 4.8).

A transformação da nossa mente vem pela "lavagem cerebral" que nos permite experimentar a boa vontade de Deus:

> *Rogo-vos, pois, irmãos, pelas misericórdias de Deus, que apresenteis o vosso corpo por sacrifício vivo, santo e agradável a Deus, que é o vosso culto racional. E não vos conformeis com este século, mas transformai-vos pela renovação da vossa mente, para que experimenteis qual seja a boa, agradável e perfeita vontade de Deus* (Romanos 12.1,2).

Como homens e líderes, precisamos tomar passos intencionais para permear a vida e a nossa família com o que é bom. Isso pode incluir: tempo regular para leitura da palavra de Deus em casa; memorização de textos bíblicos; música saudável em casa e no carro; filmes com valores bíblicos; conversas edificantes.

O salmo faz um desafio a todos os homens, mas especialmente aos líderes. Precisamos estabelecer em nós mesmos o exemplo de integridade que é a vida de Cristo em nós, pela pureza no entretenimento e na escolha de amizades e companheirismo. *A vida de Jesus em nós manifesta-se na pureza em casa e nos relacionamentos.*

Conclusão

O homem de Deus, pela graça de Deus, é *amigo do bem* e *inimigo do mal*. Vive a santa tensão entre estar *no* mundo sem ser *do* mundo. Foge do que é mal na sociedade, no trabalho, mas principalmente em casa. Corre para o bem no que faz e no que pensa. Não podemos, nem devemos, sair do mundo, mas isso não quer dizer que precisamos trazer o mundo para dentro de casa!

PERGUNTAS PARA GRUPOS PEQUENOS

1. Até que ponto você tem sido "amigo do bem" na liderança da sua casa? E no que se refere ao controle do que entra no seu lar como entretenimento?
2. Quais destas atividades você tem procurado desenvolver para que a sua vida e a sua casa sejam "amigos do bem"?
   - hora silenciosa/devocional com Deus
   - culto doméstico familiar
   - memorização de textos bíblicos
   - música saudável em casa e no carro
   - filmes e programas com valores bíblicos
   - conversas edificantes

Orem uns pelos outros para que sejam "amigos do bem" especialmente no contexto do lar, do entretenimento e das amizades.

16

JUSTO
E PIEDOSO

Nunca vi homem igual a ele. Até hoje sua vida, para mim, é o exemplo de "homem de verdade". Desde jovem ele buscava o Senhor. Casou-se, também jovem, depois de um namoro e noivado puros. Por vir de uma família de bens (a fazenda do pai era uma das maiores no Estado), ele nunca deixou que a prosperidade lhe subisse à cabeça. Pelo contrário! Foi um trabalhador de acordar cedo e valorizar tudo que Deus lhe havia dado.

Era generoso. Pagou cirurgias que salvaram a vista de pessoas necessitadas. Patrocinou uma clínica que supria braços e pernas protéticos a pessoas acidentadas. Através de sua igreja, participou de programas que davam cobertores a sem-teto e alimentos aos pobres. Atuou na diretoria de uma missão que socorria órfãos. Esse homem trabalhava como capelão voluntário e, nessa função, consolou muitas pessoas em seu leito de morte.

Depois de algum tempo, foi eleito presbítero em sua igreja e não demorou para ganhar a reputação de um homem sábio e equilibrado.

Deus abençoou-o com uma grande família, que era a alegria de sua vida. A paz que cercava seu relacionamento conjugal e cada um de seus filhos, genros, noras e netos — muitos netos — fazia com que pessoas visitassem sua casa com frequência. E sempre havia um churrasco à espera.

Enquanto isso, seus negócios só aumentavam. Nunca sonegou impostos. Nunca foi arrogante. Tratava os empregados como se fossem seus iguais. Os agentes fiscais que buscavam suborno saíam correndo de sua fazenda. As mulheres que tentaram seduzi-lo encontraram as portas fechadas e foram encaminhadas para conversar e ser aconselhadas por sua esposa.

Ele pagou um alto preço por sua ética e certamente era odiado pelos inimigos ciumentos. Mas nada era tão importante quanto seu caráter.

Um dia esse caráter sofreu um duro teste, quando esse homem recebeu talvez os piores golpes que um mortal poderia enfrentar. Uma tempestade repentina destruiu a casa em que seus filhos e suas respectivas famílias estavam tendo um churrasco, e todos morreram. Um processo contra ele na justiça culminou numa multa injusta que fez com que ele perdesse toda a fazenda e todo o gado. Depois disso, contraiu uma doença rara que fez com que sua pele fosse coberta de furúnculos. A dor insuportável e a depressão diante da perda de seus filhos quase o levaram à morte. Mesmo assim, ele nunca perdeu a confiança no Senhor. Mesmo sem entender, manteve seu caráter, sua integridade e sua fé em Deus.

Você deve ter reconhecido essa história como a contextualização do relato bíblico sobre o grande patriarca Jó. As Escrituras relatam a história de sua vida a fim de demonstrar a dignidade de Deus diante dos ataques satânicos contra *seu* caráter. Jó é o protagonista de um enredo em que Satanás acusa Deus de comprar a adoração que recebe de seus filhos. Mas, nesse processo, a fidelidade de Jó em louvar a Deus *apesar, e no meio,* da tribulação traz glória a Deus e vergonha ao inimigo.

Se eu pudesse escolher um epitáfio que gostaria que caracterizasse a minha vida, seria a descrição de Jó no início do livro com seu nome: Ele era *homem íntegro e reto, temente a Deus e que se desviava do mal* (Jó 1:1).

Coincidentemente, o homem de Deus cujas características aparecem em Tito 1 é descrito da mesma maneira. Ele é uma pessoa *justa e piedosa* (Tito 1:8). Pelo fato de que essas duas qualidades estão interligadas e se sobrepõem em alguns textos do Novo Testamento, vamos considerá-las em conjunto neste estudo.

Qualidade de caráter: "justo e piedoso"

Texto: Tito 1.8

As versões em português traduzem os termos de formas diferentes:

- *justo e consagrado* (NVI)
- *justo e santo* (RC)
- *justo e devem ter a mente pura* (BV)
- *justo e dedicado a Deus* (BLH)

A primeira palavra, "justo",[104] tem duas dimensões, vertical e horizontal. No sentido vertical, descreve a pessoa "justificada", ou seja, declarada justa por Deus pelos méritos de Jesus. Mas a justificação vertical sempre traz implicações horizontais, ou seja, manifestações do caráter de Deus no dia a dia em uma vida justa e reta. A vida de Jó certamente manifestava essas características de retidão e justiça horizontais. *Deus espera que a nossa posição como justos em Cristo manifeste-se de forma prática em justiça e retidão diante dos homens!*

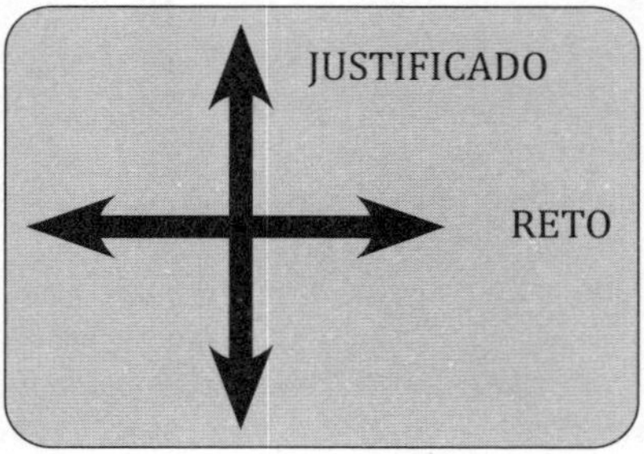

JUSTIFICADO

RETO

[104] δίκαιον

A segunda palavra faz parte de um conjunto de termos que se referem à santidade.[105] Embora não seja o termo mais comum para "santo", a palavra *hosios* traz a ideia de uma vida pura e consagrada a Deus e, por isso mesmo, piedosa.[106] Foi traduzida pelas versões em português de várias maneiras: *piedoso* (RA e BLH); *consagrado* (NVI); *santo* (RC); *mente pura* (BV).

Hosios foi usado três vezes para referir-se a Jesus.[107] Duas vezes o próprio Deus é descrito como "santo" ou "piedoso" em hinos do Apocalipse (15:4; 16:5), e uma vez as promessas divinas são descritas como *santas e fiéis* (Atos 13:34).

Somente outro texto, além de Tito 1:8, aplica o termo aos homens: *Quero, portanto, que os varões orem em todo lugar, levantando mãos* **santas**, *sem ira e sem animosidade* (1Timóteo 2:8).[108]

Podemos concluir que DEUS QUER QUE A SANTIDADE DELE SEJA MANIFESTADA NA VIDA DE HOMENS SEGUNDO O SEU CORAÇÃO, QUE TÊM VIDAS PURAS DEDICADAS A ELE.

Em três outros textos, "justo" e "piedoso" aparecem juntos:

- 1Tessalonicenses 2:10 – *Vós e Deus sois testemunhas do modo por que PIEDOSA, JUSTA e irrepreensivelmente procedemos em relação a vós outros, que credes.* Esse texto é especialmente relevante para nosso estudo, pelo fato de que Paulo descreve as características dos seus próprios ministérios, que são

[105] ὅσιον

[106] A palavra ocorre somente oito vezes no NT (Atos 2.27; 13.34,35; Tito 1.8; Hebreus 7.26; Apocalipse 15.4; 16.5) mais uma vez como advérbio (1Tessalonicenses 2.10). Cinco são citações do AT, no qual o termo foi usado na Septuaginta 79 vezes. O termo "justo" ou cognatos aparecem ao lado de outros "piedoso" em quatro dos textos no NT (1Tessalonicenses 2.10; Apocalipse 15.4; 16.5 e Tito 1.8).

[107] Jesus é chamado o "Santo" de Deus, cujo Pai não permitiu que ele visse corrupção (Atos 2.27; 13.35); *sumo sacerdote como este, santo, inculpável, sem mácula, separado dos pecadores e feito mais alto do que os céus* (Hebreus 7.26).

[108] KITTEL, G.; BROMILEY & FRIEDRICH, G. (Esdras.). *Theological Dictionary of the New Testament.* Grand Rapids, MI: Eerdmans, 1964. v. 5, p. 489-492.

claramente ecoadas nas listas de qualificações dos líderes da igreja em 1Timóteo e Tito.

- Apocalipse 15:4 – *Quem não temerá e não glorificará o teu nome, ó Senhor? Pois só tu és SANTO; por isso, todas as nações virão e adorarão diante de ti, porque os teus ATOS DE JUSTIÇA se fizeram manifestos.* Esse hino de louvor do céu reconhece que Deus é o único Santo no universo, e que também é louvado pela demonstração da sua justiça para com os homens.
- Apocalipse 16:5 – *Então, ouvi o anjo das águas dizendo: Tu és JUSTO, tu que és e que eras, o SANTO, pois julgaste estas coisas.* Mais uma vez a justiça de Deus é ligada a sua santidade. "Deus é justo e santo pelo fato de que ele vindica os crentes perseguidos e exerce julgamento contra os malfeitores. Ele e somente ele é digno de ser louvado por ser perfeitamente sem mácula, mantendo justiça e verdade sem interrupção, e trazendo salvação pelos seus atos."[109]

Resumindo, podemos concluir que Deus quer manifestar a vida santa e dedicada de Jesus na vida de seus servos. Deus declara-os justos pelos méritos de Jesus e eles demonstram santidade em seu proceder diário.

Mas, como desenvolver o tipo de vida e ministério que Deus espera? O Salmo 112 deixa dicas claras e descreve a vida do homem que teme a Deus. Vemos nesse texto "o legado do homem de Deus" e encontramos informações essenciais para sermos homens "justos e piedosos".

Contexto

Os Salmos 111 e 112 formam um conjunto de dois salmos escritos em forma de poemas acrósticos, ou seja, cada um tem 22 linhas em dez versículos; cada linha começa com

[109] KITTEL, G.; BROMILEY & FRIEDRICH, G. (Esdras.). *Theological Dictionary of the New Testament*. Grand Rapids, MI: Eerdmans, 1964. v. 5, p. 489-492.

uma letra do alfabeto hebraico.[110] Há correspondências fascinantes entre esses salmos que apontam para a mesma lição que encontramos no conjunto das qualidades do "justo e piedoso" de Tito 1:8.[111] O que se destaca é como a descrição do caráter de Deus, no Salmo 111, se manifesta na vida prática do homem que teme a Deus, descrita no Salmo 112. Em outras palavras, "Quem teme a Deus se torna como Deus!" É exatamente isso que vemos no conjunto de qualidades de caráter — "justo e piedoso" — presentes em Tito 1:8.

Veja as relações entre os dois Salmos:

Salmo 111	Salmo 112
Poemas acrósticos (o abecedário) no alfabeto hebraico	
"Aleluia" ("Louvado seja Yahweh") – 23 vezes no livro de Salmos	
O temor do SENHOR (111.5,10; 112.1) (ambos os Salmos de sabedoria)	
111.3 A justiça de Deus permanece	112.3,9 A justiça do homem que teme a Deus permanece
111.4 O SENHOR é benigno e misericordioso	112.4 O homem que teme a Deus é benigno e misericordioso
111.7,8 Os preceitos do SENHOR são estáveis	112.7,8 O homem que confia no SENHOR é estável
Lição conjunta: Quem teme a Deus se torna como Deus!	

[110] Podemos dizer que o Salmo 112 corresponde ao texto bem conhecido sobre a mulher virtuosa, também um poema acróstico de 22 versículos (Provérbios 31.10-31), ou seja, o abecedário do caráter do homem (ou mulher) de Deus, cujas qualidades são refletidas na vida desse homem (cf. Provérbios 31.30: *a mulher que teme ao SENHOR, essa será louvada*).

[111] Essa relação entre os Salmos também é refletida pelo fato de que onze termos hebraicos do Salmo 111 estão repetidos no Salmo 112.

O Salmo 112 descreve os requisitos ou características de quem teme a Deus e as consequências disso na vida real. Resumindo, podemos dizer que a vida dessa pessoa é justa e piedosa.

Os requisitos de quem teme a Deus

Há três investimentos eternos do homem justo e piedoso: no Pai, na palavra e no povo de Deus! São investimentos que ninguém consegue tirar de nós!

1. O homem de Deus anda com Deus

(v. 1a; em outras palavras, ele tem paixão pelo Pai)

O salmo começa dizendo *Bem-aventurado o homem que teme ao Senhor*. Temer ao Senhor significa praticar a presença de Deus ou andar com ele em todos os momentos da vida (cf. Salmos 111:10). A ideia é de viver na presença do Senhor e adquirir sua perspectiva sobre tudo que acontece; é ter a perspectiva do alto e viver em comunhão com o Pai, a ponto de saber, pela intimidade, o que ele deseja em cada situação. Esse homem também confia no Senhor (v. 7). Aconteça o que acontecer, esse homem é *firme, confiante no Senhor* (v. 7).

2. O homem de Deus ama a palavra de Deus

(v. 1b; ele tem paixão pela palavra)

O texto diz: *se compraz nos seus mandamentos*. A palavra "compraz" significa ter prazer, alegrar-se, amar, deleitar-se. Quem anda com Deus ouve e obedece a sua palavra! O homem justo e piedoso, que anda com Deus, ama a palavra de Deus. É dessa forma que Deus nos guia pelos labirintos da vida. João 14:21 lembra-nos: *Aquele que tem os meus mandamentos e os guarda, esse é o que me ama* (cf. Salmos 1:1,2; Josué 1:8; 1Pedro 2:2; Deuteronômio 6:4-9).

Podemos dizer que o homem de Deus, líder da família e da igreja, é um homem da palavra e lidera sua família na busca por Deus. É um praticante, não somente ouvinte da palavra (Tiago 1:22). Constrói a própria vida e a vida de seus queridos sobre o alicerce da palavra.

3. O homem de Deus abençoa o povo de Deus

(v. 4,5,9; em outras palavras, tem paixão por pessoas, que também são eternas)

O homem de verdade não procura ser servido, mas servir e proteger as pessoas a seu redor. Essa é a vida de Cristo em nós! O salmo descreve esse homem "outrocêntrico" como alguém:

- benigno, misericordioso e justo (v. 4b);
- que se compadece, empresta e defende os indefesos (v. 5);
- que distribui aos pobres (v. 9a).

Como homens, a nossa tendência é ser egoístas, vivendo para nós mesmos. Mas o homem de Deus justo e piedoso entrega a própria vida para servir e abençoar outras pessoas, começando por sua esposa e seus filhos, mas incluindo aqueles a seu redor.

Os resultados de quem teme a Deus

O Salmo 112 destaca a bênção desfrutada por homens justos e piedosos, que temem ao Senhor, andam com Deus, amam a palavra de Deus e abençoam o povo de Deus. Se tivéssemos que resumir os seis resultados que acompanham essa vida, seria com a palavra "legado". O homem justo e piedoso deixa um legado eterno!

1. **Filhos abençoados:** *A sua descendência será poderosa na terra; será abençoada a geração dos justos* (v. 2)

Não existe bênção maior nesta vida que um legado de filhos fiéis que também amam a Deus (3João 4)! Vale a pena lembrar que o nosso maior legado são os filhos que enviaremos para um mundo que nós mesmos provavelmente não conheceremos. É o que vamos deixar de mais precioso.

Os filhos do homem que teme a Deus são influentes, não influenciados. São uma bênção para todos que os encontram.

> Não se preocupe tanto com o mundo que vamos deixar para os nossos filhos, mas com os filhos que vamos deixar neste mundo.

São o fruto delicioso de uma longa vida vivida na presença do Senhor, fruto de sua graça (Salmos 127:3-5; Salmos 128; Provérbios 20:7).

2. **Prosperidade** (relativa e eterna): *Na sua casa há prosperidade e riqueza* (v. 3a)

Entendemos, à luz do ensino do Novo Testamento, que as bênçãos do cristão são principalmente espirituais (Efésios 1:3). Mas também percebemos que a pessoa que segue os princípios de sabedoria da palavra de Deus normalmente terá uma vida muito mais saudável e próspera do que seu vizinho descrente (parte da mensagem do livro de Provérbios trata desse tema). A soberania de Deus sempre permite exceções (como, por exemplo, os livros de Jó e Eclesiastes), mas estas não anulam a regra.

3. **Um legado eterno** (v. 3b, 6b, 9b)

Essa parece ser a mensagem central do salmo, seu "centro teológico". Veja como o salmo repete a ideia de um legado para o homem justo e piedoso:

- *Sua justiça permanece para sempre* (v. 3b).
- *Será tido em memória eterna* (v. 6b).
- *Sua justiça permanece para sempre* (v. 9b).

A ideia de um legado sempre foi forte motivação de vida. Certa vez alguém notou que "os homens constroem suas lápides com granito, não papelão..." (cf. Salmos 49:11-17). Nas Escrituras, ter o nome preservado está entre as maiores honras dedicadas a um homem. Por isso, o nosso maior legado é ter o *nome* escrito no livro da vida (cf. Hebreus 6:10; Marcos 9:41; 1Coríntios 15:58). Por outro lado, morrer no anonimato nas Escrituras significa perder o nome, ser esquecido para sempre.

4. **Direção de vida:** *Ao justo, nasce luz nas trevas* (v. 4a)

Em outras palavras, mesmo em circunstâncias difíceis ("trevas"), há luz no final do túnel! O homem de Deus tem a orientação de Deus!

5. **Estabilidade apesar das más notícias** (v. 6-8; cf. 111:8; Provérbios 12:3; Isaías 26:3)

Note que o homem justo e piedoso não fica imune às más notícias. Assim como a pessoa de caráter estável mencionada em 1Timóteo 3 e Tito 1, esse homem é estável e equilibrado. Várias frases destacam a ideia de estabilidade no salmo:

- *Não será jamais abalado* (v. 6a)
- *Não se atemoriza de más notícias* (v. 7a) (recebe más notícias, mas estas não o abalam; seu coração descansa no Senhor!)
- *O seu coração* [é] *bem firmado* (v. 8a)
- *Não teme* (v. 8b)

6. **Honra:** *o seu poder se exaltará em glória* (v. 9c)

O versículo 9 mostra o último resultado de uma vida justa e piedosa no temor do Senhor. Diz que *seu poder* (lit., *chifre) se exaltará em glória*. A ideia do "chifre" é de um animal vitorioso numa batalha, que balança a cabeça e os chifres sobre o seu inimigo vencido. Em outras palavras, Deus traz vitória e bênção, inclusive contra os inimigos, para esse homem. A história do justo Mordecai e seu conflito com o perverso Hamã no livro de Ester é uma ótima ilustração desse princípio (veja Ester 9).

Podemos resumir a lição do Salmo 112 assim:[112]

> O temor do Senhor (uma vida justa e piedosa) produz um legado eterno.

Conclusão

Qual será o seu legado? Será que o epitáfio da sua vida poderá dizer "Aqui jaz ______, homem íntegro e reto, temente a Deus e que se desviava do mal"? Para isso, Deus quer que sejamos homens justos e piedosos, que invistam na eternidade e que colham os frutos disso ainda aqui neste mundo.

[112] Também vemos essa mensagem em alguns provérbios: *A memória do justo é abençoada, mas o nome dos perversos cai em podridão* (Provérbios 10.7). *No temor do Senhor, tem o homem forte amparo, e isso é refúgio para os seus filhos* (Provérbios 14.26).

PERGUNTAS PARA GRUPOS PEQUENOS

1. Se você já recebeu a bênção de um legado de temor ao Senhor, compartilhe a sua experiência. Quando começou o legado espiritual da sua família? Se não, conte o sonho que tem para os seus descendentes.
2. Dos três requisitos citados para ser um homem de Deus (andar com Deus, amar a palavra de Deus, abençoar o povo de Deus), qual deles apresenta um desafio maior na sua vida?
3. Dos seis resultados que geralmente acompanham a vida do homem de Deus, qual deles é mais atraente a você e por quê?

Orem uns pelos outros para que tenham uma vida justa e piedosa.

17

DISCIPLINADO

Sempre admirei atletas olímpicos. Mas pouco imaginava o sacrifício e, acima de tudo, a disciplina de vida necessários para alguém se tornar um campeão olímpico. Ser abençoado por Deus com talento, habilidade e oportunidade constitui somente uma parte da fórmula necessária para o sucesso. A maior parte envolve a capacidade de dizer *não* aos hábitos e desejos prejudiciais para uma *performance* excepcional, e *sim* às horas e horas de treinamento exaustivo.

César Cielo e Arthur Zanetti são dois atletas brasileiros campeões que nasceram com enorme talento, mas conquistaram ouro nas Olimpíadas com suor e muita disciplina. César Cielo ganhou ouro na natação dos 50 metros livres nos Jogos Olímpicos de Pequim, em 2008, e bronze em Londres, em 2012. Ele é considerado por muitos como o maior nadador da história da natação brasileira. Muitos o viram no pedestal com medalhas, mas poucos o viram acordando às 4h30 da manhã para iniciar um dia de oito horas de treino, incluindo percorrer distâncias de 365 piscinas (uma piscina para cada dia do ano!), musculação, condicionamento físico e mental, dieta rigorosa e muito mais.

César Cielo tem características comuns aos campeões: é competitivo, adora um bom desafio e não gosta de perder. E quem não gosta de perder treina mais, trabalha duro e busca motivação para, no fim de tudo, obter resultados. Em Pequim/2008, deu 34 braçadas, não respirou nenhuma vez, e ganhou a primeira medalha de ouro olímpica da natação brasileira: venceu os 50 metros livres, em 21s30, recorde olímpico...! Mas quanto trabalho para chegar até lá![113]

Arthur Zanetti, medalhista de ouro de argolas na ginástica olímpica de Londres, 2012, passou por praticamente a mesma experiência. Baixinho de 1,56m, treina como o gigante que é. Passa por dois treinos duros por dia, manhã e tarde, além de estudar educação física na universidade à noite e fazer aulas de inglês depois do almoço. Foi o primeiro brasileiro e também o primeiro latino-americano a conquistar uma medalha olímpica de ouro em qualquer das categorias de seu esporte.[114] Conforme disse seu treinador, Marcos Goto, "Muitos têm potencial e talento, mas poucos têm disciplina para aguentar a dor, as lesões. Aqueles que suportam tudo isso chegam lá, conseguem virar profissionais."[115]

A penúltima qualidade de caráter do homem de Deus que estudaremos tem a ver com a disciplina de vida. O termo usado só aparece uma vez como adjetivo no Novo Testamento[116] e tem sido traduzido de diferentes maneiras:

- *que tenha domínio de si* (RA);
- *que tenha domínio próprio* (NVI);
- *disciplinado* (BLH).

A raiz da palavra parece estar composta de duas palavras que significam "em poder" ou "sob controle". Em pelo menos um texto, o verbo relacionado parece ter a conotação de autodisciplina na área sexual (cf. 1Coríntios 7:9). Na lista de características dos homens nos últimos dias (2Timóteo

---

[113] Disponível em: <http://www.cesarcielo.com.br/home/?page_id=47>. Acesso em 29 de março de 2013.

[114] Disponível em: <http://pt.wikipedia.org/wiki/Arthur_Zanetti>. Acesso em 29 de março de 2013.

[115] Disponível em: <http://globoesporte.globo.com/olimpiadas/noticia/2012/07/dia-de-treinamento-pequeno-gigante-zanetti-sobrevive-tortura-das-argolas.html> . Acesso em 29 de março de 2013.

[116] ἐγκρατῆ (*engrate*).

3:1-5) encontramos o termo oposto, que é "sem domínio de si".[117]

Qualidade de caráter: "domínio de si, disciplinado"

Texto: Tito 1.8

O termo descreve a vida de um homem "sob controle", ou seja, que sabe dizer "sim" às disciplinas essenciais para ter uma vida piedosa, e "não" aos hábitos, costumes e ídolos do coração que o desviariam de seu alvo de semelhança com Cristo.[118] Como verbo, foi usado por Paulo quando disse:

> *Todo atleta em tudo* ***se domina****; aqueles, para alcançar uma coroa corruptível; nós, porém, a incorruptível. Assim corro também eu, não sem meta; assim luto, não como desferindo golpes no ar. Mas esmurro o meu corpo e o reduzo à escravidão, para que, tendo pregado a outros, não venha eu mesmo a ser desqualificado* (1Coríntios 9.25-27, grifo nosso).[119]

---

[117] ἀκρατῆ (*akratēs*, 2Timóteo 3.3).

[118] "Uma compreensão adequada da expressão 'exercer autocontrole' talvez requeira uma frase idiomática equivalente, por exemplo, 'segurar-se', 'mandar em si mesmo', 'ser seu próprio chefe', 'tornar seu coração obediente', 'controlar seus próprios desejos', 'ser o mestre daquilo que quer' ou 'dizer *não* a seu corpo'." Louw, J. P.; Nida, E. A. *Greek-English Lexicon of the New Testament: Based on Semantic Domains*. New York: United Bible Societies, 1996, c1989 (Electronic ed. of the 2nd edition).

[119] O verbo foi usado por Paulo em 1Coríntios 7.9 no contexto de desejo sexual: *Caso, porém, não se* **dominem***, que se casem, porque é melhor casar do que viver abrasado* (grifo nosso). O substantivo **ἐγκράτεια** aparece em Atos 24.25, texto em que o apóstolo Paulo está diante de Félix e Drusila, sua esposa: *Dissertando ele acerca da justiça, do* **domínio próprio** *e do Juízo vindouro*; e em 2Pedro1.6, como virtude na sequência: *com o conhecimento, o* **domínio próprio***; com o* **domínio próprio***, a perseverança; com a perseverança, a piedade* (grifo nosso).

Somente por Jesus

Antes de tudo, precisamos lembrar que essa qualidade de caráter não se produz pelo esforço humano, mas sim em dependência do Espírito de Deus, que produz a vida de Cristo em nós. No mundo grego, o "autocontrole" era altamente estimado.[120] Mas o Novo Testamento deixa claro que essa qualidade não vem do "auto" (de mim mesmo), mas sim do "alto" — do Espírito de Deus. "Domínio próprio" é um dos frutos do Espírito descritos em Gálatas 5:23 e pressupõe que a verdade de Gálatas 2:19,20 esteja atuando em nós:

> *Estou crucificado com Cristo; logo, já não sou eu quem vive, mas Cristo vive em mim; e esse viver que, agora, tenho na carne, vivo pela fé no Filho de Deus, que me amou e a si mesmo se entregou por mim.*

O desafio de sermos homens "disciplinados" com "domínio próprio" também representa um perigo: de tentar conquistar algo por esforço próprio, por meio de resoluções e votos, sob o jugo da culpa. Esse não é o caminho! Destronar os ídolos do coração que nos dominam e desenvolver hábitos de vida saudáveis envolvem a negação do eu momento após momento e dependência única e exclusiva da graça de Jesus na nossa vida; *sem mim nada podeis fazer*, disse Jesus (João 15:5).

Com esse entendimento básico, examinaremos dois aspectos do caráter do homem que, assim como o grande atleta olímpico e pela força que Cristo supre, consegue dizer "não" a si mesmo e "sim" para Deus.

Dizer "não" a si mesmo

Para ser um campeão no esporte, é necessário ter a disciplina para dizer "não" a si mesmo. Uma das razões por que César Cielo escolheu treinar na Universidade de Auburn, nos EUA, foi o fato de a cidade de Auburn ser muito pacata. Assim, podia dormir mais cedo, evitar noitadas e hábitos que iriam prejudicar seu treino.

---

[120] Kittel, G.; Bromiley & Friedrich, G. (Esdras.). *Theological Dictionary of the New Testament*. Grand Rapids, MI: Eerdmans, 1964. v. 5, p. 339-342.

O homem de Deus precisa dizer "não" a si mesmo. Provérbios compara o homem indisciplinado a uma cidade sem proteção: *Como cidade derribada, que não tem muros, assim é o homem que não tem domínio próprio* (Provérbios 25:28).[121]

Jesus disse: *Se alguém quer vir após mim, a si mesmo se negue, tome a sua cruz e siga-me* (Mateus 16:24; cf. Marcos 8:34; Lucas 9:23). Como já vimos, até mesmo Paulo precisava praticar a negação de si mesmo no exercício da disciplina espiritual: *Mas esmurro o meu corpo e o reduzo à escravidão, para que, tendo pregado a outros, não venha eu mesmo a ser desqualificado* (1Coríntios 9:27).

O homem que não sabe dizer "não" aos próprios desejos, paixões e impulsos não pode ser um discípulo de Cristo. E todos nós temos que depender de Deus para a força necessária a fim de não sermos moldados e conformados com os desejos deste mundo (1João 2:15-17; Romanos 12:1,2; 1Pedro 1:14,15). Se o coração humano é mesmo uma "fábrica de ídolos", como disse o reformador João Calvino, sempre haverá novos "deuses" desejando assumir o controle da nossa vida e que precisarão ser destronados diariamente. Paulo também advertiu: *E não vos embriagueis com vinho, no qual há dissolução* [descontrole], *mas enchei-vos* [sejais controlados por] *do Espírito* (Efésios 5:18).

Existem áreas da nossa vida que, pecaminosas ou não, impedem a continuidade da nossa "corrida cristã". O autor de Hebreus diz que devemos prosseguir para o alvo na maratona cristã, *desembaraçando-nos de todo peso, e do pecado que tenazmente nos assedia* (Hebreus 12:1). Qualquer atleta de um esporte que exige velocidade, agilidade e perseverança sabe que alguns gramas a mais de peso podem ser altamente prejudiciais em seu desempenho.

Um desafio

Pense em algumas das áreas em que nós, como homens, permitimos que outros "pesos" nos atrapalhem na vida cristã. Pense naquilo que ocupa um papel determinante,

[121] Cf. 16.32; 17.27; 21.23; 25.28; 29.11.

controlador na sua vida, que o desequilibra, que ocupa atenção demais, que toma muito tempo ou que deixa você mal-humorado. Lembre-se de que hábitos, *hobbies*, comida, bebida e formas de entretenimento podem ser inofensivos para uma pessoa, mas, por outro lado, podem tornar-se grandes dominadores na vida de outra. Veja alguns exemplos: televisão, futebol, internet e mídia, *videogame*, chocolate, refrigerante, café, carne, álcool, exercício, carros, tecnologia, sexo, entretenimento, música, ministério cristão, dinheiro, trabalho.

Se você conseguir identificar alguma área da vida que ameaça ser um ídolo do seu coração e na qual você tem dificuldade de "negar a si mesmo", talvez seja interessante declarar um período de jejum até conseguir dominar — controlar — novamente essa área. *Não* se trata de um exercício de privação que nos tornará mais aceitáveis diante de Deus, mas, sim, de um exercício de domínio próprio em que o Espírito de Deus nos ensinará a ter disciplina com o objetivo de nos tornarmos mais semelhantes a Cristo.

Dizer "sim" a Deus

Como cristãos, muitas vezes somos mais conhecidos pelos "não pode" do que pelos "pode" que representam a nossa liberdade em Cristo. Somos especialistas em proibir, mas não tão craques em facilitar e acrescentar.

O atleta que se nega a si mesmo faz tal coisa visando a um bem maior. Paulo chama esse bem do mundo do esporte de *coroa corruptível* (1Coríntios 9:25). Mas o domínio próprio tem seu lado positivo — disciplinas e hábitos de vida que nos tornarão mais parecidos com Jesus —, uma coroa incorruptível! Talvez por isso Paulo também tenha dito:

> *Exercita-te, pessoalmente, na piedade. Pois o exercício físico para pouco é proveitoso, mas a piedade para tudo é proveitosa, porque tem a promessa da vida que agora é e da que há de ser* (1Timóteo 4.7b,8; cf. Filipenses 3.12-14).

Portanto, o domínio próprio também inclui disciplinas saudáveis da vida cristã. Infelizmente, muitos têm transformado alguns dos veículos de comunhão com Deus em jugos de escravidão que nos fazem sentir cada vez mais culpados e sobrecarregados. Em vez disso, devemos ver as disciplinas como oportunidades de respirar cada vez mais o ar puro da graça de Deus. Cada homem deve descobrir quais delas mais o ajudam a andar com Deus, a depender de Deus, a ter comunhão com Deus dentro de sua própria realidade. Veja algumas das disciplinas clássicas que homens e mulheres ao longo dos séculos têm usado como fardo leve e jugo suave de Jesus (Mateus 11:28-30):

- Hora silenciosa
- Memorização
- Solitude/silêncio
- Jejum
- Confissão
- Celebração/adoração
- Comunhão
- Serviço/humildade
- Perdão
- Estudo bíblico
- Meditação
- Retiro espiritual
- Oração
- Arrependimento
- Culto congregacional
- Simplicidade
- Ano sabático
- Diário (pessoal espiritual)

O autor e pastor Gene Getz resume: "Como cristãos, jamais nos tornaremos os homens que Deus quer que sejamos sem desenvolver autodisciplina na nossa vida cristã."[122] Mais uma vez ressaltamos: a prática de tais disciplinas espirituais foi feita para o homem, não o homem para as disciplinas espirituais. Use *algumas* delas para estimular o amor e a alegria da vida cristã, mas não como mestres cruéis que sugam a vitalidade da sua experiência espiritual.

Conclusão

Poucos entre nós serão grandes campeões olímpicos como César Cielo ou Arthur Zanetti. Mas, pela graça de Deus, podemos ser mais que vencedores em Cristo Jesus. Pelo Espírito

[122] Getz, Gene. *A medida de um homem espiritual.* São Paulo: Abba Press, 2002, p. 312.

de Deus, podemos aprender cada dia a negar a nós mesmos e dizer "sim" a Jesus como homens disciplinados — com domínio próprio — e cada vez mais parecidos com Cristo:

> *Portanto, também nós, visto que temos a rodear-nos tão grande nuvem de testemunhas, desembaraçando-nos de todo peso e do pecado que tenazmente nos assedia, corramos, com perseverança, a carreira que nos está proposta, olhando firmemente para o autor e consumador da fé, Jesus, o qual, em troca da alegria que lhe estava proposta, suportou a cruz, não fazendo caso da ignomínia, e está assentado à destra do trono de Deus* (Hebreus 12.1,2).

Perguntas para grupos pequenos

1. Qual o perigo de falar sobre ***auto****controle* na vida do cristão? Qual o problema com o *domínio* ***próprio***? Como mudar o foco do "eu" para "Cristo"?
2. Existe alguma área das citadas neste capítulo em que você precisa adquirir mais disciplina para dizer "não" a si mesmo? Qual (is)? Pense na possibilidade de praticar o jejum por tempo determinado nessa(s) área(s) até conseguir controlá-la(s) novamente.
3. Como você tem encarado as chamadas "disciplinas da vida cristã"? Como um jugo pesado? Algo impossível de praticar? Ou como ar puro que nos permite respirar a graça da comunhão com Deus? Quais disciplinas espirituais mencionadas você já pratica? Quais fariam bem à sua vida e que você decididamente quer iniciar?

Orem uns pelos outros para que tenham disposição, coragem e dependência do Espírito necessárias para poder dizer "não" às áreas que tendem a controlar a vida do grupo, e "sim" aos hábitos de piedade que os tornarão mais parecidos com Cristo.

18

HOMEM
DE PALAVRA

Existe uma verdadeira indústria criada em torno da falta de integridade e credibilidade nas palavras das pessoas:

- Cartórios existem para "reconhecer firma", autenticar documentos, garantir contratos e confirmar promessas.
- Fiadores são exigidos para garantir aluguéis e pagamentos prometidos.
- Advogados são contratados para defender (ou processar) situações em que acordos legais não foram respeitados ou honrados.
- Certidões, RGs, atestados médicos, pagamentos de "sinal", depósitos e muito mais existem para comprovar autenticidade ou promessas de pagamento.

Para o cristão, porém, mesmo que ele tenha que se submeter a exigências legais para comprovar sua palavra, não deve haver a mínima dúvida quanto ao peso de sua palavra.

> O peso da sua palavra revela a condição do seu coração!

A última qualidade de caráter do homem de Deus trata de ele ser um homem de palavra, ou seja, alguém cuja palavra tem peso, é verdadeira e não é questionada. A frase traduzida por *de uma só palavra* (RA) é, literalmente, "não de duas palavras".[123] Outras versões traduzem: *homens de palavra* (NVI); *não de língua dobre* (RC); *sinceros* (NTLH).

A palavra ocorre somente no texto de 1Timóteo 3:8 e é extremamente estranha fora desse contexto. Por isso existem dúvidas sobre sua tradução exata. Mounce afirma que a ideia de "não ser de duas palavras" significa "não fofoqueiro", ou seja, alguém de confiança que não *repete duas vezes* o que ouve.[124] Esse homem é fiel à verdade em sua fala.

"Homem de palavra" é a segunda descrição dos diáconos, talvez pelo fato de que normalmente os diáconos têm sido associados ao serviço braçal da igreja (cf. Atos 6:1-7), ou seja, à visitação e ao socorro dos membros necessitados. Fica fácil entender por que o diácono, em particular, teria que ser "homem de palavra"! A sobrevivência de órfãos e viúvas dependia disso!

Alguns interpretam a palavra aqui como uma referência à hipocrisia (no mundo antigo, o termo para "hipócrita" se referia a um ator, que desempenhava um papel no palco diferente de sua pessoa na realidade). A pessoa de "duas palavras" ou "duas línguas" esconde seus pensamentos verdadeiros por trás de palavras enganosas.[125] Diz uma coisa para uma pessoa algo diferente para outra com a intenção de enganar.[126] Tal pessoa caracteriza-se por duplicidade, falsidade, hipocrisia, bajulação, fofoca, mentira, leviandade, obscenidade, promessas não cumpridas e votos revogados.

---

[123] μὴ διλόγοῦ

[124] Algumas palavras cognatas raras, διλογία e διλογεῖν, significam "repetição" e "repetir" (Mounce, William. *Word Biblical Commentary 46*, p. 199).

[125] Louw, J. P.; Nida, E. A. *Greek-English Lexicon of the New Testament: Based on Semantic Domains*. New York: United Bible Societies, 1996, c1989 (Electronic ed. of the 2nd edition).

[126] Strong, J. (2001). *Enhanced Strong's Lexicon*. Bellingham, WA: Logos Bible Software.

As palavras do homem de Deus têm o peso de um caráter marcado pela integridade. São confiáveis, dignas, sinceras, honestas, cuidadosamente medidas e cumpridas, custe o que custar. São as palavras que Jesus diria.

Qualidade de caráter: "de uma só palavra"

Texto: 1Timóteo 3.8

As versões em português traduzem a palavra de várias maneiras:

- *de uma só palavra* (RA)
- *não de língua dobre* (RC)
- *homens de palavra* (NVI)
- *sinceros* (BLH)

Certa vez o autor e poeta William Shakespeare comentou: "Quando as palavras são raras, não são gastas em vão". Outro erudito de origem desconhecida disse: "Homens sábios falam porque têm algo a dizer; tolos, porque gostariam de falar algo". Um ditado filipino aconselha: "Em boca fechada não entra mosca". Os árabes oferecem esta joia de sabedoria: "Tome cuidado que sua língua não corte seu pescoço". Certamente o mundo reconhece a importância das palavras. Mas a palavra de Deus tem uma perspectiva ainda mais profunda sobre as palavras do homem de Deus.

Janela ao coração

A Bíblia deixa claro que as palavras abrem uma janela do coração de quem fala:

> *Porque de dentro, do coração dos homens, é que procedem os maus desígnios, a prostituição, os furtos, os homicídios, os adultérios, a avareza, as malícias, o dolo, a lascívia, a inveja, a blasfêmia, a soberba, a loucura. Ora, todos estes males vêm de dentro e contaminam o homem* (Marcos 7.21-23).

Infelizmente, como Tiago nos lembra, somos pessoas de "palavra dupla", algo incoerente e não natural, mas comum entre os seres humanos:

> *Com ela* [a língua], *bendizemos ao Senhor e Pai; também, com ela, amaldiçoamos os homens, feitos à semelhança de Deus. De uma só boca procede bênção e maldição. Meus irmãos, não é conveniente que estas coisas sejam assim. Acaso, pode a fonte jorrar do mesmo lugar o que é doce e o que é amargoso? Acaso, meus irmãos, pode a figueira produzir azeitonas ou a videira, figos? Tampouco fonte de água salgada pode dar água doce* (Tiago 3.9-12).

O homem de Deus não somente põe filtro sobre a própria boca, mas transforma a fonte de seu coração. Por nós mesmos, isso é impossível, porque somos pecadores por natureza, e nossa tendência natural é de fofocar, resmungar, criticar, insultar, blasfemar. Mas foi por isso que Jesus veio a este mundo — para redimir o homem, inclusive sua língua. Para fazer isso, é preciso haver um transplante — não da nossa língua, mas do nosso coração, pois a língua só fala do que o coração está cheio. A morte e a ressurreição de Jesus tiveram como alvo transformar o coração daqueles que depositam a confiança (fé) em Cristo e só nele para a vida eterna. Só Jesus, por seu Espírito, pode transformar a fonte das palavras!

Promessas e votos no contexto histórico

A ideia de ser "homem de palavra" tem uma longa história entre o povo de Deus. Por exemplo, o nono dos Dez Mandamentos diz: *Não dirás falso testemunho contra o teu próximo* (Êxodo 20:16; cf. Deuteronômio 5:20).

O código de santidade em Levítico acrescenta: *Não furtareis, nem mentireis, nem usareis de falsidade cada um com o seu próximo; nem jurareis falso pelo meu nome, pois profanaríeis o nome do vosso Deus. Eu sou o SENHOR* (Levítico 19:11,12).

Em outras palavras, Deus leva MUITO a sério as nossas palavras. Em termos de promessas e votos, veja o que diz Moisés:

> *Quando um homem fizer voto*[127] *ao SENHOR ou juramento para obrigar-se a alguma abstinência, não violará a sua palavra; segundo tudo o que prometeu, fará* (Números 30.2).

> *Quando fizeres algum voto ao SENHOR, teu Deus, não tardarás em cumpri-lo; porque o SENHOR, teu Deus, certamente, o requererá de ti, e em ti haverá pecado. Porém, abstendo-te de fazer o voto, não haverá pecado em ti. O que proferiram os teus lábios, isso guardarás e o farás, porque votaste livremente ao SENHOR, teu Deus, o que falaste com a tua boca* (Deuteronômio 23.21-23).

O salmista concorda:

> *Quem, SENHOR, habitará no teu tabernáculo? Quem há de morar no teu santo monte?* [...] *o que jura com dano próprio, e não se retrata* (Salmos 15.1,4; cf. Salmos 50.14; 2Coríntios 1.12-24, especialmente 1.23).

O autor de Eclesiastes é ainda mais contundente:

> *Guarda o teu pé, quando entrares na Casa de Deus; chegar-se para ouvir é melhor do que oferecer sacrifícios de tolos, pois não sabem que fazem mal. Não te precipites com a tua boca, nem o teu coração se apresse a pronunciar palavra alguma diante de Deus; porque Deus está nos céus, e tu, na terra; portanto, sejam poucas as tuas palavras* [...]. *Quando a Deus fizeres algum voto, não tardes em cumpri-lo; porque não se agrada de tolos. Cumpre o voto que fazes. Melhor é que não votes do que votes e não cumpras* (Eclesiastes 5.1-5).

[127] V. Mateus 5.33.

O PESO DAS PALAVRAS PARA JESUS

No Novo Testamento, tanto Jesus como os autores dos livros bíblicos ecoaram essa seriedade de palavras e promessas. Infelizmente, naqueles dias, uma cultura do "jeitinho" havia sido criada para dar a aparência de peso às palavras, mas com escapes para evitar as consequências. Essa duplicidade era repugnante diante de Deus. Havia uma falsidade que permitia anular certos votos sem correr o risco da ira de Deus (imaginavam eles)!

> *Ai de vós, guias cegos, que dizeis: Quem jurar pelo santuário, isso é nada; mas, se alguém jurar pelo ouro do santuário, fica obrigado pelo que jurou! Insensatos e cegos! Pois qual é maior: o ouro ou o santuário que santifica o ouro? E dizeis: Quem jurar pelo altar, isso é nada; quem, porém, jurar pela oferta que está sobre o altar fica obrigado pelo que jurou. Cegos! Pois qual é maior: a oferta ou o altar que santifica a oferta? Portanto, quem jurar pelo altar jura por ele e por tudo o que sobre ele está. Quem jurar pelo santuário jura por ele e por aquele que nele habita; e quem jurar pelo céu jura pelo trono de Deus e por aquele que no trono está sentado* (Mateus 23.16-22).

Numa época em que havia poucos recursos (não havia detector de mentiras, testes de DNA, câmeras escondidas, impressão digital, reconhecimento de firma etc.) para se verificar a veracidade das palavras, criou-se uma cultura de autenticação por meio de juramentos e testemunhas. Mas, como atualmente, também se desenvolveram esquemas sofisticados para burlar o sistema. As pessoas faziam uma *exibição* de compromisso sem a intenção de cumprir com a palavra (como a criança que faz uma promessa com os dedos cruzados nas costas)!

Mas Jesus ensinava que qualquer juramento (palavra empenhada) tem Deus como testemunha (e por isso é desnecessário o cristão fazer votos; v. Mateus 5:34-36). *O súdito do rei Jesus não precisa de garantias externas das palavras porque cumpre tudo que fala!* Tudo pertence a Deus, é ouvido e controlado por ele! Por isso, o juramento para o homem de Deus deve ser desnecessário. Jesus disse: *Seja, porém, a tua palavra: Sim, sim; não, não. O que disto passar vem do maligno* (Mateus 5:37). Qualquer juramento tem como efeito diminuir o peso da palavra simples e verdadeira e reflete o pai da mentira, não o rei da verdade![128]

> *Digo-vos que de toda palavra frívola que proferirem os homens, dela darão conta no dia do juízo; porque pelas tuas palavras serás justificado, e pelas tuas palavras serás condenado* (Mateus 12.36,37).

A palavra do súdito de Jesus deve ter o mesmo peso que as palavras do rei!

Conclusão

O seguidor de Jesus deve falar toda a verdade, somente a verdade e nada mais que a verdade! Será impossível que domemos a língua se Jesus não domar o nosso coração. Deus está à procura de homens de verdade cuja língua revele um coração convertido. Homens sinceros, cujas palavras têm peso, o mesmo do Mestre Jesus.

O peso da sua palavra revela a condição do seu coração!

[128] Confira as palavras de Tiago: *Acima de tudo, porém, meus irmãos, não jureis nem pelo céu, nem pela terra, nem por qualquer outro voto; antes, seja o vosso sim sim, e o vosso não não, para não cairdes em juízo* (Tiago 5.12).

PERGUNTAS PARA GRUPOS PEQUENOS

1. Será que você poderia ser descrito por uma destas palavras?

   Duplicidade. Falsidade. Hipocrisia. Bajulação. Fofoca. Mentira. Leviandade. Obscenidade. Promessas não cumpridas. Votos revogados.

2. As suas palavras têm peso quando você...
   - Promete orar por alguém?
   - Promete: "Vou te ligar..."?
   - Diz: "Vamos tomar um cafezinho juntos"?
   - Faz um voto de ajuda no sustento de um missionário?
   - Toma uma resolução diante de Deus (ler a Bíblia inteira, fazer o culto em casa, orar com a esposa etc.)?
   - Promete cumprir um pacto de membresia na igreja?
   - Ora: "Senhor, se me livrar dessa, vou fazer tal coisa"?
   - Faz uma promessa aos filhos (Provérbios 13.22)?
   - Adverte os filhos das consequências de seus atos?

Orem uns pelos outros para que Deus os transforme em "homens de palavra".

Conclusão

O filme *127 horas* relata a história trágica que termina com o triunfo do alpinista Aron Rolston, que teve que amputar o próprio braço sozinho, quando ficou preso debaixo de uma rocha no Parque Nacional do Grand Canyon em Utah, nos EUA. A aventura que seria de algumas horas virou um pesadelo de quase uma semana devido ao enorme tamanho da pedra que se desalojou num lugar praticamente inacessível e invisível. A coragem, lucidez e hombridade que Rolston demonstrou só foram ofuscadas pela insensatez de ter se isolado naquele lugar remoto sem avisar a ninguém onde estaria. Seus gritos iniciais por socorro só ecoavam no silêncio do local deserto.

No fim, quando percebeu que iria morrer, conseguiu quebrar seu antebraço e cortar a parte que ficara presa debaixo da pedra com uma faca, usando um tubo de água e um mosquetão para fazer um torniquete e estancar o fluxo de sangue. Foi o suficiente para ele escapar da fenda e, depois de mais aventuras, encontrar seu resgate.

Mas toda essa tragédia poderia ter sido facilmente superada se o alpinista aventureiro tivesse um companheiro de subida. Ou, quem sabe, se tivesse prestado contas a alguém sobre seu "plano de voo" para aquele dia. Hoje o filme e o próprio Aron Rolston dão essas recomendações a outros alpinistas.

Iniciamos este manual de discipulado para homens falando da importância da mutualidade e da prestação de contas. Notamos como a natureza do homem leva-o, muitas vezes, ao isolamento. Com isso, enfrentamos grandes perigos, assim como Aron Rolston. Acabamos dando um "tiro no pé" (para não dizer que sofremos "amputações espirituais") quando nos encontramos em situações difíceis, diante de grandes tentações, correndo riscos desnecessários que ameaçam esmagar a nossa vida espiritual e o nosso caráter irrepreensível.

O desafio de sermos "homens de verdade", parecidos com Cristo Jesus, foi lançado nas listas de qualidades de caráter em 1Timóteo 3 e Tito 1. Fica óbvio que, sem Jesus vivendo sua vida em nós e por meio de nós, nada disso será possível (João 15:5; Gálatas 2:20). Mas Jesus quer viver sua vida em homens que humildemente se submetam à sua direção, pelo poder do Espírito e pela meditação e obediência à palavra.

O desenvolvimento do caráter estável, equilibrado, piedoso, justo e irrepreensível do homem de Deus não acontece no vácuo, isolado da influência de outros homens cristãos que se afiam mutuamente como ferro (cf. Provérbios 27:17). Também não é o resultado instantâneo de uma fórmula mágica, uma profecia, uma experiência mística ou uma "declaração de fé". Exige a renovação da mente, a obediência sincera e proposital, decisões constantes de seguir o caminho da cruz, de negar a si mesmo e de seguir a Jesus.

Aqueles que, pela graça de Deus, têm o caráter esculpido pelo Espírito e pela palavra, manifestado primeiro em sua própria casa, mas também no serviço ao próximo, na comunidade e na igreja, estão qualificados para a liderança espiritual da família de Deus. Não se tratam de homens perfeitos, mas perfeitamente perdoados pela graça de Deus, com todas as contas em dia.

Que Deus nos dê sempre mais "homens de verdade" que se pareçam com Jesus.

Apêndice A

As qualidades do homem de Deus/líder espiritual[129]

Observação: A seguinte lista pretende enumerar todas as qualidades de um líder espiritual (presbítero ou diácono) que Paulo estabelece em 1Timóteo 3 e Tito 1. Outras características mencionadas em outros textos não fazem parte desta proposta. Por isso, a tabela não pretende ser exaustiva. Quando palavras em listas diferentes parecem ser sinônimas, são mencionadas paralelamente. Os termos gregos são indicados conforme aparecem no NT, não em sua forma lexical. Após cada termo, listamos a tradução de várias versões da Bíblia.

[129] Tabela semelhante encontra-se em Mounce, William. *Word Biblical Commentary 46: Pastoral Epistles.* Nashville: Thomas Nelson, 2000, p. 156-158.

Episcopado (Bispo) ἐπισκοπῆ (1Timóteo 3.1-7)	Diácono Διακόνοῦ (1Timóteo 3.8-13)	Presbítero πρεσβυτέροῦ Bispo ἐπίσκοπον (Tito 1.5-9)
1. ἀνεπίλημπτον RA: irrepreensível NVI: irrepreensível RC: irrepreensível BV: bom, contra cuja vida não se possa falar nada BLH: que ninguém possa culpar de nada	ἀνέγκλητοι RA: irrepreensíveis NVI: não houver nada contra eles RC: irrepreensíveis BV: se saírem bem BLH: se passarem nessa prova	ἀνέγκλητῦ **(2x)** RA: irrepreensível NVI: irrepreensível RC: irrepreensível BV: bem conceituados por causa da sua vida decente BLH: que ninguém possa acusar de nenhuma falta
2. μιᾶ γυναικῦ ἄνδρα RA: esposo de uma só mulher NVI: marido de uma só mulher RC: marido de uma mulher BV: ter apenas uma mulher BLH: ter somente uma esposa	μιᾶ γυναικῦ ἄνδρε͂ RA: marido de uma só mulher NVI: marido de uma só mulher RC: maridos de uma mulher BV: devem ter uma família obediente BLH: deve ter somente uma mulher	μιᾶ γυναικῦ ἀνήρ RA: marido de uma só mulher NVI: marido de uma só mulher RC: marido de uma mulher BV: ter só uma mulher BLH: ter somente uma esposa
3. νηφάλιον RA: temperante NVI: moderado RC: vigilante BV: cuidadoso BLH: moderado		
4. σώφρονα RA: sóbrio NVI: sensato RC: sóbrio BV: ordeiro BLH: prudente		σώφρονα RA: sóbrio NVI: sensato RC: moderado BV: sensatos BLH: prudente
5. κόσμιον RA: modesto NVI: respeitável RC: honesto BV: cheio de boas obras BLH: simples	σεμνοῦ RA: respeitáveis NVI: dignos RC: honestos BV: homens bons e firmes BLH: bom caráter	

6. φιλόξενον RA: hospitaleiro NVI: hospitaleiro RC: hospitaleiro BV: ter prazer em receber hóspedes BLH: hospitaleiro		φιλόξενον RA: hospitaleiro NVI: hospitaleiro RC: dado à hospitalidade BV: gostar de ter hóspedes em casa BLH: hospitaleiro
7. διδακτικόν RA: apto para ensinar NVI: apto para ensinar RC: apto para ensinar BV: um bom mestre da Bíblia BLH: capacidade para ensinar	ἔχοντα̂ τὸ μυστήριον τῆ πίστεῶ καθαρᾷ συνειδήσει RA: conservando o mistério da fé com consciência limpa NVI: apegar-se ao mistério da fé com consciência limpa RC: guardando o mistério da fé em uma pura consciência BV: seguir de todo coração e fervorosamente a Cristo, a Fonte oculta da sua fé BLH: conservar a verdade revelada da fé com consciência limpa	ἀντεχόμενον τοῦ κατὰ τὴν διδαχὴν πιστοῦλόγου ἵνα δυνατὸ ῇ καὶ παρακαλεῖν ἐν τῇ διδασκαλίᾳ τῇ ὑγιαινούσῃ καὶ τοῦ ἀντιλεγοντα̂ ἐλέγχειν RA: apegado à palavra fiel que é segundo a doutrina para que tenha poder assim para exortar pelo reto ensino como para convencer os que contradizem NVI: apegue-se firmemente à mensagem fiel, da maneira como foi ensinada para que seja capaz de encorajar outros pela sã doutrina e de refutar os que se opõem a ela RC: retendo firme a fiel palavra que é conforme a doutrina para que seja poderoso, tanto para admoestar com a sã doutrina, como para convencer os contradizentes BV: sua crença na verdade que lhes foi ensinada deve ser forte e firme para que possam ensiná-la aos outros e mostrar aos que discordam deles onde é que estão errados BLH: deve ser dedicado à mensagem que merece confiança e que está de acordo com a doutrina para animar os outros com o verdadeiro ensinamento e também mostrar o erro dos que são contra esse ensinamento

8. μὴ πάροινον RA: não dado ao vinho NVI: não deve ser apegado ao vinho RC: não dado ao vinho BV: não deve ter o vício da bebida BLH: não deve ser beberrão	μὴ οἴνῳ πολλῷ προσέχοντᾶ RA: não inclinados a muito vinho NVI: não amigos de muito vinho RC: não dados a muito vinho BV: não devem ser muito dados à bebida BLH: não devem beber muito vinho	μὴ πάροινον RA: não dado ao vinho NVI: não apegado ao vinho RC: nem dado ao vinho BV: não deve ter o vício da bebida BLH: nem bêbado
9. μὴ πλήκτην RA: não violento NVI: nem violento RC: não espancador BV: nem ser um valentão BLH: nem violento		μὴ πλήκτην RA: nem violento NVI: não briguento RC: nem iracundo BV: nem ser valentões BLH: nem violento
10. ἐπιεικῆ RA: cordato NVI: amável RC: moderado BV: amável BLH: delicado		μὴ αὐθάδη RA: não arrogante NVI: não orgulhoso RC: não soberbo BV: não devem ser orgulhosos BLH: não deve ser orgulhoso
11. ἄμαχον RA: inimigo de contendas NVI: pacífico RC: não contencioso BV: bondoso BLH: pacífico		μὴ ὀργίλον RA: não irascível NVI: não briguento RC: nem iracundo BV: nem impacientes BLH: nem de mau gênio
12. ἀφιλάργυρον RA: não avarento NVI: não apegado ao dinheiro RC: não avarento BV: não ter amor ao dinheiro BLH: não deve ter ambição pelo dinheiro	μὴ αἰσχροκερδεῖ RA: não cobiçosos de sórdida ganância NVI: nem de lucros desonestos RC: não cobiçosos de torpe ganância BV: nem tampouco gananciosos por dinheiro BLH: nem ser gananciosos	μὴ αἰσχροκερδῆ RA: nem cobiçoso de torpe ganância NVI: nem ávido por lucro desonesto RC: nem cobiçoso de torpe ganância BV: nem ser gananciosos por dinheiro BLH: nem ganancioso

13. τοῦ ἰδίου οἴκου καλῶ προϊστάμενον RA: que governe bem a sua própria casa NVI: ele deve governar bem sua própria família RC: que governe bem a sua própria casa BV: deve ter uma família bem educada BLH: deve ser capaz de governar bem a sua própria família	προϊστάμενοι καὶ τῶν ἰδίων οἴκων RA: governe bem... sua própria casa NVI: governar bem... sua própria casa RC: governem bem... suas próprias casas BV: ter uma família obediente e feliz BLH: ser capaz de governar bem... toda a sua família	
14. τέκνα ἔχοντα ἐν ὑποταγῇ μετὰ πάσῇ σεμνότητō RA: criando os filhos sob disciplina com todo respeito NVI: tendo os filhos sujeitos a ele com toda a dignidade RC: tendo seus filhos em sujeição com toda a modéstia BV: com filhos que obedeçam depressa com docilidade BLH: fazer que os seus filhos lhe obedeçam com todo o respeito	τέκνων καλῶ προϊστάμενοι RA: governe bem seus filhos NVI: governar bem seus filhos RC: governem bem a seus filhos BV: ter uma família obediente e feliz BLH: ser capaz de governar bem os seus filhos	τέκνα ἔχων πιστα μὴ ἐν κατηγορίᾳ ἀσωτίᾱ ἢ ἀνυπότακτα RA: tenha filhos crentes que não são acusados de dissolução, nem são insubordinados NVI: tenha filhos crentes que não sejam acusados de libertinagem ou de insubmissão RC: tenha filhos fiéis que não possam ser acusados de dissolução nem são desobedientes BV: filhos devem amar ao Senhor e não ter fama de desordeiros ou desobedientes a seus pais BLH: filhos devem ser cristãos e não ter fama de maus ou desobedientes
15. μὴ νεόφυτον, ἵνα μὴ τυφωθεῖ εἶ κρίμα ἐμπέσῃ τοῦ διαβόλου. RA: não seja neófito NVI: não pode ser recém-convertido RC: não neófito BV: não deve ser um cristão novato BLH: não deve ser alguém convertido há pouco tempo	δοκιμαζέσθωσαν πρῶτον, RA: primeiramente experimentados NVI: primeiramente experimentados RC: primeiro provados BV: devem receber outras tarefas na igreja, como experiência do seu caráter e da sua capacidade BLH: primeiro devem ser provados	

16. μαρτυρίαν καλὴν ἔχειν ἀπὸ τῶν ἔξωθεν RA: tenha bom testemunho dos de fora NVI: ter boa reputação perante os de fora RC: tenha bom testemunho dos que estão de fora BV: deve ser bem conceituado entre as pessoas de fora da igreja, aqueles que não são cristãos BLH: seja respeitado pelos que não são irmãos na fé		
		17. φιλάγαθον RA: amigo do bem NVI: amigo do bem RC: amigo do bem BV: amar tudo o que é bom BLH: amar o bem
		18. δίκαιον RA: justo NVI: justo RC: justo BV: justos BLH: justo
		19. ὅσιον RA: piedoso NVI: consagrado RC: santo BV: mente pura BLH: piedoso
		20. ἐγκρατῆ RA: tenha domínio de si NVI: tenha domínio próprio RC: temperante BV: dotados de bom senso BLH: disciplinado

	21. μὴ διλόγοῦ RA: de uma só palavra NVI: homens de palavra RC: não de língua dobre BV: homens bons e firmes BLH: sinceros	

Apêndice B

Responsabilidades do marido cristão[130]

Texto	Responsabilidades	Prática
Gênesis 2:15,18 **Gênesis 2.24**	Ser companheiro da mulher. Manter um relacionamento de mútua complementação ("auxílio idôneo") com a esposa. Deixar os pais. Dedicar-se à sua mulher num compromisso de amor. Manter um relacionamento de *uma só carne* com ela (1Coríntios 7.3-5).	a) Dar prioridade ao relacionamento e ministério marido-mulher. b) Permitir que a esposa seja um complemento, fortalecendo-o nas suas áreas frágeis, sem competir com ela. c) Manter um relacionamento de exclusividade, fidelidade e intimidade com a esposa. d) Desenvolver hábitos de fidelidade e amizade conjugal em todos os níveis (espiritual, emocional, social, intelectual, físico). e) Dedicar-se exclusivamente à sua esposa sem cogitar divórcio ou separação ou permitir que o ministério tome o lugar da família.
Provérbios 31:28-31	Honrar a esposa por sua dignidade de caráter.	Procurar maneiras criativas, particulares e públicas, de honrar a esposa por seu sacrifício no lar.
1Coríntios 7:3-5 **(Provérbios 5:15-19)**	Satisfazer os desejos sexuais da esposa num relacionamento mutuamente agradável.	a) Comunicar aberta e sensivelmente suas necessidades e seus desejos, e dar de si mesmo livremente à esposa. b) Conhecer e suprir as necessidades da esposa "no Senhor". c) Procurar plena satisfação sexual mútua e exclusiva na união conjugal.

[130] Extraído do livro do autor *Estabelecendo alicerces*. São Paulo: Hagnos, 2013.

Efésios 5:25-33; Colossenses 3:19	Amar a esposa: como Cristo amou a igreja e como ele ama seu próprio corpo. "Santificar/purificar" a esposa (sacrificar a si mesmo em prol do bem-estar dela). Não tratá-la com amargura.	a) Seguir o padrão de Cristo de humildade e abnegação a favor da família como líder-servo (1Coríntios 13; João 13). b) Abrir mão de ambições egoístas que prejudicam o relacionamento conjugal. c) Ser o líder espiritual da casa. d) Não guardar mágoas, mas resolver seus problemas, procurando a ajuda de conselheiros quando necessário.
1Timóteo 5:8	Sustentar a sua própria família com um trabalho dedicado.	a) Vencer a preguiça, as reclamações e o descontentamento com o seu trabalho pela graça e força de Cristo. b) Assumir a responsabilidade de suprir as necessidades da família sem cair na ganância nem pressionar a sua esposa a ocupar papéis contrários à natureza dela (Salmos 127.1,2).
1Pedro 3:7 (cf. Deuteronômio 24:5)	Estar presente no lar como líder sensível às necessidades da esposa. Participar ativamente no lar. Conhecer a esposa e suas necessidades, lutas, alegrias etc. Proteger e honrar a esposa.	a) Proteger (agradar e cuidar) a esposa como se fosse o seu próprio corpo. b) Ficar ciente de tudo que acontece em casa, especialmente em relação às necessidades da sua esposa. c) Evitar o excesso de envolvimento "extracasa" que tire você desnecessariamente do ambiente familiar. d) Conhecer profundamente a esposa e as necessidades dela. e) Falar abertamente do seu amor e de como a admira. f) Orar com a esposa.

Apêndice C
Ministério com homens

Como vimos na Introdução, ministérios especificamente voltados para homens são raros na igreja brasileira. Enquanto vemos trabalhos com mulheres, crianças, adolescentes, jovens e casais, são poucas as igrejas com visão para investir nos líderes da casa, da igreja e da sociedade.

Ao longo dos anos, tivemos o privilégio não somente de participar, mas também de inaugurar ministérios dos mais diversos com homens tanto no Brasil como nos Estados Unidos. O nome que demos para esse ministério é "2-2-2", baseado no texto de 2Timóteo 2:2: *E o que de minha parte ouviste através de muitas testemunhas, isso mesmo transmite a homens fiéis e também idôneos para instruir a outros.*

Na nossa experiência, quando os homens finalmente têm a oportunidade de estudar as Escrituras com outros homens, interagir com a palavra e entre si, compartilhar suas experiências (positivas e negativas) e orar juntos, então suas vidas são radicalmente transformadas. É só uma questão de criar oportunidades para que essas experiências possam acontecer. Não é nada fácil em dias tão agitados, mas também não é impossível. Um pouco de criatividade temperada com flexibilidade pode fazer milagres.

Café dos homens

Um ministério que tem funcionado muito bem em muitas igrejas é um simples encontro ocasional ou regular de "café da manhã". Um grupo de homens responsabiliza-se pelo café (que pode ser tão simples ou elaborado quanto quiserem). Em geral, a reunião é feita em um sábado de manhã, por volta das 8 horas. Depois do café, há espaço para um desafio de 20 a 30 minutos (as lições deste livro são perfeitas para isso!), seguido de um tempo de 30 a 45 minutos em grupos pequenos, com o objetivo de interagir com o estudo por meio das "Perguntas para grupos pequenos"; termina-se com um tempo de oração. Breve, objetivo e agradável são adjetivos que devem descrever tais encontros.

Algumas igrejas planejam um café de homens semestralmente, outras preferem que sejam todos os meses, e algumas programam reuniões semanais. É possível marcar o encontro em um dia de trabalho, mas normalmente terá que ser bem cedo para permitir que todos participem antes de ir para o serviço.

O ideal é que cada grupo pequeno tenha encontros fixos, no caso de reuniões regulares. Os visitantes podem ser incluídos cada qual no grupo de quem o convidou. Ninguém deve ser forçado a compartilhar, orar, ler em voz alta etc. Se o grupo pequeno passar de cinco ou seis pessoas, deve-se pensar na possibilidade de subdividi-lo em grupos menores para maior interação e prestação de contas.

Classe de homens

Durante muitos anos, ministramos na escola bíblica dominical da nossa igreja quase exclusivamente para casais. Mas uma das nossas frustrações era o fato de que, muitas vezes, os homens não abriam a boca para participar ou compartilhar suas ideias e reações diante de um grupo grande e misto. Resolvemos fazer uma experiência e separar os homens e as mulheres para um semestre de estudos voltados para as necessidades particulares de cada grupo. Ficamos com grande receio de que, na hora de abrir para perguntas ou para um tempo de estudo em grupos pequenos, houvesse aquele silêncio interminável até o sino tocar marcando o final da aula.

Felizmente estávamos enganados! Na primeira semana de aula a classe ficou superlotada de homens. Seguimos o modelo apresentado aqui, em que o conteúdo da aula foi repassado depois de um rápido período de quebra-gelo. Nos últimos vinte minutos da aula, os homens foram divididos em grupos pequenos de cinco ou seis pessoas para responder às perguntas dos grupos pequenos.

Em nossa igreja, temos um almoço missionário quase todos os domingos e os homens normalmente são os primeiros a sair das classes de EBD para entrar na fila da refeição por quilo. Mas, com o advento da classe dos homens, tudo mudou. Nunca vou me esquecer daquele primeiro domingo de experiência, quando os grupos pequenos estavam reunidos na sala, o sino tocou e ninguém se levantou para sair. Cinco minutos se passaram... dez. Um grupo terminou orando juntos e saiu. Quinze minutos depois do término da lição, mais dois grupos se levantaram. Alguns ficaram vinte minutos ou mais interagindo sobre o conteúdo da lição e na aplicação do estudo. Descobrimos que havíamos finalmente tocado o nervo exposto da vida masculina. *Os homens precisam de oportunidades como essas para estudar a palavra e aplicá-la à própria vida!*

O conteúdo deste livro também serve de currículo de escola bíblica durante pelo menos um semestre, talvez um ano, dependendo do contexto de cada comunidade.

Eventos especiais

Eventos especiais marcados ocasionalmente (uma vez por semestre para começar) são apropriados quando ainda não existe nenhum ministério específico com homens, ou quando há interesse em envolver mais homens e/ou visitantes no ministério. A liderança deve planejar com antecedência, fazer uma boa promoção (anúncios do púlpito, avisos no boletim, mensagens nas mídias sociais etc.) e preparar tudo que é necessário para um evento divertido, mas com foco nas Escrituras, com um breve estudo bíblico, comunhão (tempo de compartilhar), oração e evangelização.

Alguns eventos que podem ser programados incluem:

- Churrasco
- Esportes de aventura (tirolesa, *rafting*, arborismo, alpinismo, caminhadas etc.)
- Acampamento pai-filho
- Retiro de homens
- Viagens missionárias
- Jogos em equipe (futebol, vôlei, basquete)

Outros eventos[131]

Pesque-pague pai/filho

Preparativos: Procure um pesque-pague na região, que ofereça um desconto para um grupo maior e que empreste ou alugue varas, iscas e outros equipamentos de pesca. Leve tudo que for preciso para um belo churrasco para complementar os MUITOS peixes que o grupo vai apanhar. Seria bom ter carne suficiente caso ninguém pegue nada! (Não é necessário ter um filho ou pai para participar - a atividade deve ficar aberta para todos os meninos, moços, jovens e senhores que queiram se envolver.)

Não se esqueçam de levar máquinas fotográficas para registrar os monstros aquáticos que não escaparão!

Evento: Marque um horário cedo num ponto de encontro, onde deve haver veículos suficientes para levar todos para a atividade. Peça para alguns homens "pescadores" coordenarem questões sobre equipamento, isca etc. Designe homens para acompanhar e orientar os jovens pescadores, especialmente aqueles que não vieram com um pai ou outro adulto. Designe uma equipe para assar os peixes ou o churrasco e inclua um tempo para um desafio evangelístico e/ou de "homem para homens" por algum convidado especial.

[131] Algumas das ideias que seguem foram extraídas da nossa série de livros ***101 ideias criativas:*** *101 ideias criativas para grupos pequenos, 101 ideias criativas para família, 101 ideias criativas para culto doméstico, 101 ideias criativas para professores,* todos publicados pela Hagnos.

NOITE ESPORTIVA FAMILIAR

Preparativos: Convide as famílias para uma noite de esportes coletivos e amistosos num salão da igreja ou numa quadra ou ginásio da cidade. Prepare jogos e brincadeiras que facilmente envolverão múltiplas gerações: queimada (sob controle!), vôlei, pega-pega, pingue-pongue, futebol de casal (pai/filha, mãe/filho) etc. Para mais ideias, veja o livro *101 ideias criativas para grupos pequenos* (Editora Hagnos).

Evento: Prepare jogos e brincadeiras apropriados e cuide para que sejam seguros e não perigosos para os mais jovens ou mais velhos. Adapte as regras dos jogos ou esportes para facilitar a participação dos menores. A ênfase dos jogos não deve ser ganhar a competição, mas promover interação entre as gerações. No meio das atividades faça um intervalo com cânticos, testemunhos e um desafio para a unidade familiar.

NOITE DA BATATA

Esta atividade serve de evento social complementar em uma noite em que o encontro será mais breve.

Preparativos: Convide o grupo para a programação e estabeleça como ingresso para cada participante um tipo de molho ou recheio para as batatas. Asse com antecedência batatas em número suficiente para a refeição do grupo e previna-se com o material necessário para as brincadeiras ou a reunião.

Evento: À hora do lanche, leve à mesa as batatas e os vários ingredientes: molhos, presunto, queijo, ovos cozidos, cogumelos e outros mais. Cada pessoa deve preparar sua batata. Estabeleça uma comissão para julgar a batata mais "criativa". Antes e após a refeição, dirija brincadeiras que tenham como tema a batata.

Brincadeiras: "Batata quente"— Reúna o grupo num grande círculo e entregue aos participantes uma ou mais batatas (conforme o tamanho do grupo), que serão lançadas de uma pessoa a outra, ao som de uma música. Desligue de repente a música e quem estiver naquele momento com uma batata nas mãos deve sair do jogo. Continue até que reste uma única pessoa.

"Revezamento"— Divida o grupo em dois times. Cada participante deve correr até um ponto limite levando uma batata sobre um garfo (não espetada!) e voltar ao ponto inicial. A brincadeira prossegue em esquema de revezamento até que o time todo tenha participado. Vence o time que completar em menor tempo.

APÊNDICE D

"HOMEM DE UMA SÓ MULHER" — DIVÓRCIO E NOVO CASAMENTO

Há muita controvérsia quanto à interpretação da frase "homem de uma só mulher", especialmente no que diz respeito à seleção de líderes (pastores/presbíteros, diáconos) para a igreja. Há diversas interpretações para a frase que vamos analisar brevemente a seguir:

1. **"Ele tem que ser casado".** Se fosse esse o significado, contrariaria o que vemos na vida de outros líderes (como Jesus e Paulo; 1Coríntios 7:1,8,9,25s). Paulo indica sua preferência por ministros solteiros, pelo menos no clima hostil ao cristianismo do primeiro século, mesmo reconhecendo que, para a maioria, não seria recomendável ser solteiro (1Coríntios 7).[132]

2. **"Que não seja polígamo".** 1Timóteo 5:9 argumenta contra esta opção, pois a frase paralela "esposa de um só marido"[133] descreve viúvas cujo caráter digno as qualifica para sustento no "rol das viúvas"; o fato de que as duas frases são idênticas (com exceção do gênero) e aparecem no mesmo livro indica que devem ser interpretadas de modo semelhante. Mas, pelo fato de que não temos evidência da prática de poliandria

[132] Se alguém exigir o casamento antes da ordenação de um pastor ou presbítero com base nesse texto, terá que também exigir que tenha filhos com idade suficiente para cumprir as ordens dos versículos seguintes!

[133] ἑνὸς ἀνδρὸς γυνή

(mulheres com mais de um marido) no primeiro século, é altamente improvável que a frase "homem de uma só mulher" se refira à poligamia.

3. **"Que não tenha mais que uma esposa por vez".** Esta interpretação popular apresenta alguns defeitos lógicos sérios. A ideia é que o líder espiritual precisa ser fiel à esposa que tem, *enquanto está casado com ela*. No entanto, se fosse esse o sentido da frase, em que seria diferente o líder da igreja de seus colegas pagãos, que também têm "uma esposa por vez" — mas que se divorciam e recasam à vontade? E qual seria o limite de sucessivas mulheres (esposas) que o homem poderia ter antes de ser desqualificado para a liderança espiritual? Quando se lembra que o casamento reflete o mistério do compromisso de Cristo para com a noiva, a igreja (Efésios 5:32), e que também é um reflexo da própria unidade em diversidade da Trindade (Gênesis 1:27), fica difícil imaginar que Paulo considerava como candidatos para o episcopado homens casados múltiplas vezes.

4. **"Não um adúltero".** Ser "homem de uma só mulher" certamente inclui a proibição do adultério, pois o adultério (e outros vícios sexuais) revela um homem *não* comprometido com uma única mulher. Mas o texto vai muito além de uma descrição negativa para afirmar algo positivo; além de não ser adúltero, o homem de Deus está comprometido com somente uma mulher.

5. **"Não divorciado e recasado".** Assim como a opção 4, parece que "homem de uma só mulher" também significa que somente *uma* mulher poderia dizer: "Esse homem foi (ou é) casado comigo". À luz do contexto da época, em que o divórcio (como hoje) era comum, e diante da qualificação de manter uma reputação "irrepreensível", parece provável ser essa também uma implicação da frase "homem de *uma* só mulher".

Mas essa interpretação levanta uma série de outras controvérsias sobre as quais teólogos brigam até hoje: Isso inclui divórcios "legítimos" (supostamente, por abandono do cônjuge descrente ou imoralidade sexual)? E se o divórcio aconteceu antes da conversão?[134] Infelizmente não temos como tratar de todas essas questões, a não ser dizer que, à luz do ensino do Novo Testamento sobre o assunto, parece-nos mais provável que Paulo define o "homem de uma só mulher" como um homem casado uma única vez (não recasado, a não ser depois de ficar viúvo).[135]

Mas note que Paulo vai além do negativo. Se fosse só essa a interpretação, facilmente poderia ter escrito: "Não divorciado ou recasado". Mas parece que ele tem algo mais em mente.

6. **"Fiel (dedicado, comprometido) à sua (única) esposa".** O "homem de uma só mulher" dá evidências claras de ser um homem totalmente dedicado (emocional, espiritual, social e fisicamente) à esposa (se for casado), não divorciado ou recasado, sem hábitos ou vícios sexuais ilícitos que manchariam a imagem de Cristo Jesus e da igreja. Esse é o padrão de vida para todos os homens, não somente os líderes espirituais

[134] KEN JR., Homer (*The Pastoral Epistles*, p. 125) sugere em seu comentário que, mesmo que o sangue de Cristo lave todos os pecados, e todo verdadeiro convertido possa ser membro da igreja, nem todos estão qualificados para ocupar o ofício da liderança espiritual. Mesmo que o divórcio tenha ocorrido antes da conversão, o fato é que o casamento vitalício é o plano de Deus para *toda* a sociedade, não somente para a igreja (Mateus 19.8).

[135] A questão sobre divórcio e novo casamento depende em grande parte da interpretação da "cláusula de exceção" em Mateus 5.32 e 19.9 e no capítulo 7 de 1 Coríntios. É nossa conclusão (contra a maioria dos comentaristas e teólogos) que nenhum versículo do NT claramente autoriza o novo casamento (com a exceção do caso da viuvez), mesmo que reconheça duas situações que POSSIVELMENTE permitem o divórcio: adultério e abandono pelo cônjuge descrente (1Coríntios 7.10-16). Essas questões são complexas demais para serem tratadas aqui. Também não cabe a nós determinar quem é ou não é qualificado como líder espiritual da igreja local. Essa decisão cabe à igreja na escolha de seus líderes à luz do estudo sério desse e de outros textos bíblicos.

(Mateus 5:27-30). Essa interpretação considera a ênfase positiva da cláusula "homem de uma só mulher" — ele é dedicado à esposa e comprometido com ela; portanto, a ideia é de que não se trata de um homem promíscuo, adúltero, divorciado e recasado.[136]

[136] Kent Jr., Homer A. *The Pastoral Epistles*, p. 126. "Ele deve ser comprometido a ela e lhe dar todo o amor e toda a consideração que a esposa merece. [A frase] significa mais que simplesmente não ser divorciado, embora esse fato objetivo possa ser verificado pela igreja."

Sobre o autor

David Merkh é casado com Carol Sue desde 1982. O casal tem seis filhos: David Júnior (casado com Adriana), Michelle (casada com Benjamin), Daniel (casado com Rachel), Juliana, Stephen (casado com Hannah) e Keila. O casal tem 14 netos atualmente.

O pr. David é bacharel em Ciências Sociais pela *Cedarville University* (1981), tem mestrado em Teologia (Th.M.) pelo *Dallas Theological Seminary* (1986) e doutorado em Ministério (D.Min.) com ênfase em ministério familiar pelo mesmo seminário (2003).

Desde 1987, o pr. David é missionário no Brasil, onde tem trabalhado como professor e coordenador do curso de Mestrado em Ministérios do Seminário Bíblico Palavra da Vida. Além disso, serve, desde a mesma data, como um dos pastores auxiliares na Primeira Igreja Batista de Atibaia, onde atualmente é pastor de exposição bíblica, pregando e ensinando semanalmente em escola bíblica, bem como em cursos de treinamento de pastores. O autor tem ministrado a homens com vistas à formação de líderes conforme a imagem de Cristo.

O pr. David Merkh e sua esposa são autores de 17 livros sobre vida familiar e ministério prático, todos publicados pela Editora Hagnos. Seu *site* www.palavraefamilia.org.br recebe milhares de visitas a cada mês.

Outros recursos para a sua família ou grupo pequeno

Considere estes outros recursos, oferecidos por David e Carol Sue Merkh, publicados pela Editora Hagnos:

Série *Construindo um lar cristão*

Material 1: *Estabelecendo alicerces*

Quinze estudos sobre os fundamentos de um lar cristão, incluindo lições sobre o propósito de Deus para a família, reavivamento que começa em casa, aliança e amizade conjugais, finanças, papéis, comunicação e sexualidade no lar.

Material 2: *Mobiliando a casa*

Quinze estudos sobre a criação de filhos, incluindo lições sobre discipulado e disciplina de crianças, com ênfase em como alcançar o coração do seu filho.

Material 3: *Enfrentando tempestades*

Quinze estudos sobre temas e situações preocupantes no casamento, começando com uma perspectiva equilibrada sobre o que Deus quer fazer no coração de cada um apesar das "tempestades" pelas quais passamos. Inclui estudos sobre: maus hábitos, críticas, parentes, finanças, sogros, discussões e decisões sobre o futuro.

Série *101 ideias criativas*

101 ideias criativas para grupos pequenos (David Merkh)

Um livro que oferece material para o ministério com grupos familiares e para os vários departamentos da igreja. Inclui ideias para quebra-gelos, eventos e programas sociais, além de brincadeiras para grupos pequenos e grandes.

101 ideias criativas para culto doméstico (David Merkh)

Recursos que podem dinamizar o ensino bíblico no contexto doméstico e deixar as crianças "pedindo mais".

101 ideias criativas para mulheres (Carol Sue Merkh e Mary-Ann Cox)

Sugestões para transformar chás de mulheres em eventos inesquecíveis, que causam impacto na vida das mulheres. Inclui ideias para chás de bebê, chás de cozinha e reuniões gerais da sociedade feminina da igreja. Termina com dez esboços de devocionais para encontros de mulheres.

101 ideias criativas para família (David e Carol Sue Merkh)

Apresenta sugestões para enriquecer a vida familiar, com ideias práticas para: o relacionamento marido-mulher, o relacionamento pai-filho, aniversários, refeições familiares, preparação para o casamento dos filhos, viagens.

101 ideias criativas para professores (David Merkh e Paulo França)

Dinâmicas didáticas para enriquecer o envolvimento dos alunos na aula e desenvolver uma melhor compreensão do ensino.

Série *101 de como Paparicar seu marido/esposa*

101 ideias de como paparicar seu marido (David e Carol Sue Merkh)

Textos bíblicos com aplicações práticas para a esposa demonstrar amor por seu marido.

101 ideias de como paparicar sua esposa (David e Carol Sue Merkh)

Textos bíblicos com aplicações práticas para o marido demonstrar amor por sua esposa.

Outros livros:

151 boas ideias para educar seus filhos (David e Carol Sue Merkh)

Uma coletânea de textos bíblicos voltados para a educação de filhos, com sugestões práticas e criativas para aplicação no lar.

O legado dos avós (David Merkh e Mary-Ann Cox)

Um livro escrito por uma sogra, em parceria com um genro, sobre o desafio bíblico de deixarmos um legado de fé para a próxima geração. Inclui:

Treze capítulos que desenvolvem o ensino bíblico sobre a importância do legado; estudos apropriados para grupos pequenos, escola bíblica, grupos da terceira idade etc.

101 ideias criativas de como os avós podem investir na vida dos netos.

O namoro e o noivado que Deus sempre quis (David Merkh e Alexandre Mendes)

Uma enciclopédia de informações e desafios para jovens que querem seguir princípios bíblicos e construir relacionamentos sérios e duradouros para a glória de Deus.

Perguntas e respostas sobre o namoro e o noivado (que Deus sempre quis) - (David Merkh e Alexandre Mendes)

Visa preencher algumas lacunas de leituras anteriores; e encorajar o casal a compreender a suficiência das Escrituras na prática de situações cotidianas do namoro, noivado e direcionamento ao casamento. Tem como convicção e objetivo orientar casais com base no conhecimento de que a Bíblia é a Palavra de Deus, manual e fonte inesgotável de sabedoria, que nos orienta passo a passo em todas as áreas rumo ao casamento.

Sua opinião é importante para nós.
Por gentileza, envie-nos seus comentários pelo e-mail:

editorial@hagnos.com.br

Visite nosso site:

www.hagnos.com.br